Le Cadeau idéal

à offrir les yeux fermés

Introduction

Si vous avez ce livre entre les mains, c'est que sa troisième peau vous unit à quelqu'un qui vous aime. Félicitations ! La formule de Barthes s'applique avec une justesse toute particulière à un livre-cadeau : non seulement, ce livre, vous l'avez touché tous deux, mais il y a bon espoir que lui aussi vous touche.

Car voyons, réfléchissons ensemble à la raison pour laquelle votre généreux/se donateur/trice vous en a fait cadeau. Parce que la jolie couverture lui a tapé dans l'œil ? Parce que le titre lui a fait penser à vous ? Ou bien, espérons-le, parce qu'il/elle l'a ouvert, en a lu quelques pages, a souri, a aimé. Parce qu'il/elle a été touché(e) et espère que vous le serez aussi. Peut-être aussi parce que cette personne connaît déjà la collection et a eu envie de vous la faire découvrir.

En effet, ce livre est une compilation de pages déjà parues dans la collection « Le petit livre à offrir ». Il y eut d'abord Le Petit Livre à offrir à sa maman à la place d'un flacon d'eau de toilette, parce qu'elle vaut mieux que ça, et puis son pendant, pour les papas (parce qu'ils ont déjà un rasoir, trois montres et cent vingt cravates). Il y eut aussi de quoi combler les papis adorés et les grands-mères chéries, à la place d'une boîte de chocolats, parce qu'on a moins de regret à les faire circuler à table. Il y eut Le Petit Livre à offrir à un dîner à la place d'une bouquet de fleurs, parce que les fleurs, c'est périssable. Et puis le cadeau d'anniversaire, de naissance, de mariage, de départ à la retraite… Les occasions de faire un cadeau ne manquent pas. Parmi les destinataires, il y eut l'amour de ses nuits, ses collègues de bureau et même la maîtresse (ou le maître) d'école de ses enfants, à la fin de l'année. Et puis la collection s'est adressée aux passionnés : de chats, de vin, de mots… Cette compilation fête aujourd'hui le vingtième livre de la collection.

Un jour, lors d'une séance de dédicace en librairie, un lecteur nous a demandé : « Et vous n'auriez pas tout simplement un petit livre à offrir à quelqu'un qu'on aime bien, pour lui dire qu'on l'aime bien ? » Non, nous ne l'avions pas encore. C'est maintenant chose faite, il est paru en 2008. Mais, finalement, tous les livres de cette collection pourraient porter ce sous-titre, y compris et surtout celui que vous avez entre les mains.

Quand on aime bien quelqu'un, que lui offre-t-on ? On lui offre généralement ce qu'on aime soi-même, ce qu'on a envie de partager avec lui, ce qui nous a touchés. Au-delà du titre de ces livres, c'est aussi là le principe de chacune de leurs pages. Elles forment des petites unités autonomes, libres de toute attache au reste du livre, ou presque, avec un univers graphique propre. Chaque page voudrait ressembler à un petit trésor, à une pépite un peu drôle ou belle que l'on aurait trouvé sur le bord du chemin et que l'on aurait envie de montrer à ses proches. C'est ce qui arrive avec les belles phrases, ces citations que l'on entend par hasard, que l'on note, que l'on transmet un jour à un fils ou un ami. D'autres découpent des images. D'autres encore notent des blagues ou les font suivre par courrier électronique. Le principe est le même : prélever dans la vie quotidienne des petites choses auxquelles, un instant, nous avons trouvé du charme. Drôles ou instructives, mignonnes ou profondes, curieuses ou séduisantes.

Ces livres invitent à collectionner ces instants de charme que peuvent offrir aussi bien le langage codé d'un ordinateur qui plante, la poésie spontanée des jurons ou des mots d'enfants, la prose ampoulée des menus de restaurant ou les bizarreries du dictionnaire. On trouvera par exemple parmi eux une typologie des moustaches, d'impossibles karaokés, un test de grossesse médiéval imparable, des devinettes étymologiques, des questions-pièges d'enfants ou d'examens, des néologismes à méditer ou à décortiquer, un test de QI idiot, l'histoire de la Grande Ourse, un nuancier de couleurs imaginaires ou un article sur un café japonais où l'on vous loue des chats à caresser… En vrac. Parce que ce ne sont pas des livres que l'on lit scrupuleusement de bout en bout. On en picore des pages par-ci par-là, au hasard, juste pour la plaisir. Et puis, idéalement, quand on a eu du plaisir, on a envie de le partager, de faire lire la page à son voisin… ou de lui offrir la compilation.

Une grande partie de ces textes sont des listes. Liste de départements inventés, liste de perles des notices d'emballages, liste de prénoms chinois, de plaques de rues ou de petites phrases imbéciles, liste de premiers jobs de stars, de mots moches qui désignent des choses jolies et de mots jolis qui désignent des choses moches… Or, nombre de listes sont infinies. On les commence, elles font des petits, on ne sait pas jusqu'où elles nous emmèneront. C'est un gué que l'on saute, une pierre et puis une autre, et hop ! C'est un parcours de fraises des bois, de ceux qui emmènent les petites filles loin de leurs parents, parfois de l'autre côté du miroir. C'est aussi la progression de la parole freudienne, par association d'idées : un pas en avant, un pas sur le côté, un autre pour voir, et voilà qu'on part. Apparemment au hasard, mais finalement pas n'importe où, mais vers l'essentiel. La liste est un petit jeu de l'esprit qui ressemble à la comptine « Trois petits chats, chapeau de paille, paillasson… » : délivré de la syntaxe, l'esprit chemine en liberté sur un principe purement ludique et gratuit. Et souvent pour pointer du doigt des vérités.

Ce livre n'est qu'une longue liste et il ne sera jamais fini : chaque page appelle au rêve, chaque exercice ne demande qu'à être prolongé par vous, lecteur. Il se prétend le cadeau idéal parce qu'il ne sert absolument à rien. Ce n'est pas la friteuse dernier cri, le bijou précieux, l'outil multifonction. C'est un cadeau vraiment gratuit, malgré sa valeur en euro indiquée au dos, comme un acte peut être gratuit : « qui n'a pas de raison valable, de fondement, de preuve », nous dit Robert, « qui n'est pas déterminé par des motifs extérieurs ou des considérations rationnelles ». Non, au contraire. Les motifs sont intérieurs, l'irrationnel est le bienvenu et les règles se réinventent sur d'autres modes.

Bienvenue donc dans notre troisième peau. Vous allez voir, on y est bien, il fait chaud.

Raphaële Vidaling

7

Ma bibliothèque idéale

Le petit livre à offrir à sa maman

Le petit livre à offrir à son papa

Le petit livre à offrir à sa grand-mère chérie

Le petit livre à offrir à son papi adoré

Le petit livre à offrir à un dîner

Le petit livre à offrir en guise de déclaration d'amour

Le petit livre à offrir à un anniversaire

Le petit livre à offrir pour une naissance

Le petit livre à offrir à sa maîtresse d'école (ou à son maître)

Le petit livre à offrir à un amateur de vin

Le petit livre à offrir à un(e) amoureux/se des chats

Le petit livre à offrir à quelqu'un qu'on aime bien

Le petit livre à offrir à l'amour de ses nuits

Le petit livre à (s')offrir pour faire rire les collègues

Le petit livre à offrir pour un départ en retraite

Le petit livre à offrir en guise de cadeau de mariage

Le petit livre à (s')offrir avant de partir en vacances

Le petit livre à offrir à un amoureux des mots

Le petit livre à offrir à tous ceux qui ont gardé une âme d'enfant

Ta mère en acrostiche sur parchemin

*Ça vaut bien le « ta mère en short sur Internet »,
mais c'est plus facile à offrir le jour de la fête des Mères.
L'acrostiche est un poème dans lequel l'initiale de chaque vers
forme verticalement un mot. Pour simplifier l'exercice, on s'est
contenté ici d'inventer des sigles définissant une M.A.M.A.N.*

**Mélange
Atomique
Mariant
Amour et
N**

**Maison
Accueillante
Moyennant l'
Achat d'un
Nombril**

**Milieu
Amniotique
Modifiant l'
Âme du
Nourrisson**

**Muse des
Artistes en
Mal d'
Amour
Non-stop**

**Minette
Ayant
Mal
Aux
Nénés**

**Molécule d'
Amour
Magnifique
Absolument
Nécessaire**

**Maximum d'
Amour
Mesurable
Autorisé par la
Nasa**

**Mémoire
Annihilant
Méthodiquement les
Années
Noires**

Modèle
Attractif pour
Messieurs
Aimant la
Nostalgie

Matrice
Ancestrale
Métamorphosant les
Ados en
Nadultes

Madame
Aux
Mille
Avantages en
Nature

Moule
Aléatoire
Moelleux pour
Âmes
Naissantes

Ministère des
Affaires
Mammaires
Affecté au
Nectar

Mélodie
Adorée
Murmurée
À la
Nuit

Machine
À
Malaxer
Activement les
Nouilles

Mammifère
Ayant
Mal
Analysé
Nietzsche

11

Conciliabulles

Liste des cadeaux
reçus pour la fête des Mères
à la place du fameux collier de nouilles

Prière de cocher… et de ne pas jeter.

 le bracelet de nouilles

 la broche en nouilles

 les boucles d'oreilles en nouilles

 la bague nouille et la barrette nouille assortie

 le cendrier en capsules de bière

 le porte-stylo en pâte à modeler séchée

 le collier en boules de cotillon

 le collier en frisettes de bolduc

 le collage sur boîte à camembert

 le miroir encadré de coquillages

 la cuiller en bois décorée au crayon-feutre

 la boîte à bijoux en papier avec fleurs de crépon

 le collier en boules de bois (avec initiale du prénom de 7 cm)

 le photophore en pot de yaourt et papier de soie

 le porte-bagues en plâtre peint

 le poème encadré d'aluminium repoussé

 le magnet pense-bête avec pince à linge

 le mouchoir brodé avec fleur et papillon

le pot à trombones en rouleau de P-Q repeint

le pot encollé de découpages de serviettes en papier

le paysage en graines collées sur fond de tapisserie

la coupelle en poterie vernie en marron

le marque-page en Canson orné de gommettes

le pense-bête en cartonnage made in CMT

le dessous-de-bouteille en feutrine

le cache-pot en raphia noué

l'empreinte de main en plâtre

le vide-poches en papier mâché

le tableau de fleurs séchées

le calendrier décoré au pochoir

le presse-papier en caillou peint

le pendentif en pâte à sel

le rond de serviette peint à la gouache

le dessous-de-plat

en pinces à linge désossées

le message d'amour en pyrogravure

sur contreplaqué

. . . .

. . . .

. . . .

. . . .

Les supermamans du règne animal

Pour aider le petit faon à excréter, la **maman biche** lui lèche le postérieur. Ensuite, pour éviter d'alerter les prédateurs, elle n'hésite pas à avaler ses excréments. Qui se plaindra encore d'avoir à changer des couches ?

Certaines mamans **(louves, éléphantes, guenons)** sont capables de produire du lait pour des petits… dont elles ne sont que les mères adoptives !

On a vu des **mamans éléphantes** marcher pendant plusieurs jour en portant leur petit sur leurs défenses, alors qu'il était mort, ne le posant à terre que pour se nourrir.

Il suffit à une **maman brebis** de lécher son petit pendant dix minutes pour être ensuite capable de le retrouver dans un immense troupeau… sauf si la séparation dure plusieurs heures. Passé un certain cap, elle traitera l'agneau comme un étranger à tout jamais.

La **maman kangourou** est capable de produire deux laits différents dans chacune de ses mamelles, afin de nourrir deux bébés d'âges différents, chacun selon ses besoins nutritifs.

Pour protéger son petit du froid, la **maman phoque** produit un lait qui est deux fois plus gras que la crème fraîche : il parvient ainsi à doubler son poids en cinq jours… mais c'est au prix, pour la maman, d'une perte de 40 à 60 % de son propre poids.

La **maman chauve-souris** est capable de mettre en réserve le sperme du papa après l'accouplement pour enclencher la conception du bébé au moment où les conditions seront les plus favorables.

La **maman coyote** peut avoir jusqu'à dix-neuf petits par printemps. La lapine fait encore mieux : jusqu'à vingt-quatre petits par an.

Pour sauver ses petits, une **maman rate** est capable d'endurer des sévices que d'autres rats ne supporteraient pas. L'expérience a été faite en laboratoire : pour sauver des petits rats mis en danger, la maman devait passer par un grillage électrifié. Non seulement elle a franchi le grillage aussi souvent que nécessaire pour sauver ses petits un par un, mais elle a même continué le sauvetage aussi longtemps que nécessaire pour sauver tous les ratons, à savoir cinquante-huit ! Et elle aurait probablement continué si le laboratoire n'avait eu que cinquante-huit ratons sous la main. Mieux ! Une maman rate ainsi conditionnée est capable de sauver dans la foulée des bébés souris ou lapins, des poussins, voire des chatons !

17

- C'était pas trop dur, Maman, à ton époque ?

- Dur... quoi ?

- Je veux dire de vivre en noir et blanc !

19

Quand « mère » rime avec « camembert »

Le camembert des statistiques, bien sûr !
Petite liste de pourcentages français
(source : Ipsos).

83 % des femmes disent que leur mère leur a donné le goût de s'occuper des enfants

70 % des 15-35 ans affirment que leur mère est toujours là pour leur apporter le réconfort quand tout va mal

62 % des parents ont le sentiment de ne pas passer assez de temps avec leurs enfants

59 % des femmes disent qu'elles ont été limitées dans le nombre d'enfants qu'elles ont eus par un problème d'argent

60 % des Françaises pensent qu'il est facile pour une mère de réussir à transmettre ses valeurs à sa fille

48 % des femmes estiment qu'avec le temps elles ressemblent de plus en plus à leur mère

40 % des mères disent que, si cela était possible, elles aimeraient ou auraient aimé que ce soit leur conjoint qui « porte » leur enfant

59 % des jeunes pensent que leur mère est la personne qui les connaît le mieux

44 % des femmes disent que leur mère leur a donné le goût de se faire belles

82 % des femmes pensent que les pères sont aussi compétents que les mères pour s'occuper de leurs enfants (contre **75 %** des hommes)

8 % des femmes disent parler facilement de leur vie sexuelle à leur mère

79 % des mères affirment que les pères d'aujourd'hui s'occupent des enfants ; **94 %** des pères disent le faire

3 % des mères déclarent vivre avec le père idéal

83 % des femmes disent comprendre leur mère de mieux en mieux avec le temps

Liste des phrases à éviter
de prononcer sous peine
de passer pour un papa ringard

Et il fait quoi dans la vie, le papa de ton petit ami ?

Pourquoi ne pas mettre ton corsage à la mode ?
Tu sais, avec les motifs fantaisie ?

Moi, de mon temps…
C'est quand déjà, ta surboum ?

Il ne t'a pas conté fleurette, ton Benjamin, j'espère ?

Elle est bath, ta camarade de classe.

Ah c'est ballot, j'ai oublié mon tricot de peau.

Mazette ! Quel baladeur formidable tu as là !

C'est sioux, ton machin-chouette.

Mets ton cardigan, bougre d'âne, tu vas attraper la mort.

Passe-moi donc le rouleau de papier collant.

Pétard ! Mais tu as fini de faire le zouave, oui ?

C'est samedi, c'est jour du bain !

Je suis désolé, mais ton Kevin, avec ses cheveux dans le cou,
il fait un tantinet inverti.

Dis donc, c'est qui, ce gus sur sa pétrolette ? Tu fréquentes, maintenant ?

Et depuis quand on va à une surprise-partie à 16 ans ?

Et voilà ! Les enfants, bienvenue dans votre nouveau Sam'suffit !

Qu'est-ce qu'on joue, sur la première chaîne ?

C'est pas un peu fini de se bécoter, là-haut ?

Pas question de faire la nouba jusqu'à plus d'heure !

J'en ai ras la casquette, tu es vraiment casse-bonbon.

Dites donc, les jeunes, ça boume, ce soir ?
Sensass !

23

Définition d'un PAPA

ADSL, CFDT, CODEVI, OTAN, INSEE…
nous employons tous les jours des sigles sans toujours savoir ce qu'il y a
précisément derrière. Sans compter les acronymes passés dans le langage
courant : radar, laser, velcro, jeep et autres ovnis du français.
Et si l'on imaginait d'où pourrait venir le sigle PAPA ?

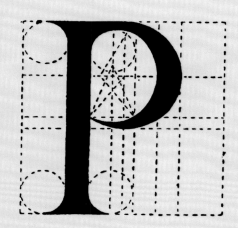

Presque
Absolument
Persuadé qu'il
Assure

Partenaire
Au
Placenta
Abstrait

Petit
Ami
Promu
Aide de camp

Préposé
Aux
Poubelles &
Autos

Pompier
Astronaute
Policier
Agent secret

Prêtre
Autoproclamé d'une
Parole
Autoritaire

Producteur
Agréé de
Particules d'
Amour

Préparateur
Attitré des
Pizzas &
Apéritifs

Personne
Attirée par une
Progéniture
Abondante

Principal
Administrateur du
Parc
Automobile

Pacifiste
Aux
Paroles
Adoucissantes

Partisan de l'
Autonomie des
Petits & des
Adultes

Pachyderme
Aux
Pantoufles
Aimantées

Professionnel
Assermenté de
Papouilles
Affectueuses

Pilote d'un
Avion aux
Passagers
Admiratifs

Primate
Amusant
Parmi d'
Autres

Performance
Amoureuse de
Patience et d'
Abnégation

Propre
A
Perpétuer les
Âmes

Promesse d'
Aventures en
Partance vers
Ailleurs

Petit
Arbitre
Poilu
Adoré

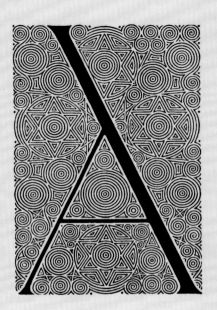

À vous de jouer :

- *Programme A…*
- *Pigeon A…*
- *Patient A…*
- *Pire A…*
- *Piège A…*
- *Potentiel A…*
- *Pacte A…*
- *Paresseux A…*
- *Propre A…*
- *Propriétaire A…*
- *Phobique A…*
- *Placement A…*
- *Plus A…*
- *Poète A…*
- *Président A…*

Liste des questions pièges

C'est ainsi, ça fait partie de l'examen pour être parents : non seulement il faut montrer des prédispositions pour le foot, le réchauffage de biberon et les cours du soir, mais il faut également savoir pourquoi le ciel est bleu, quel est le petit nom du bon Dieu et si les fourmis voient en couleurs ! Révisions.

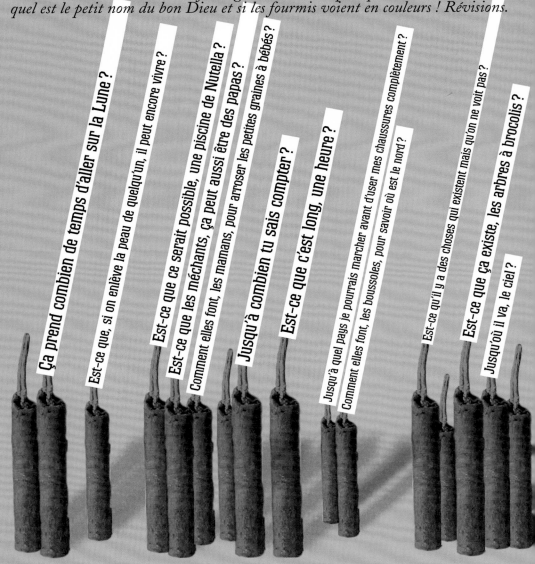

Ça prend combien de temps d'aller sur la Lune ?

Est-ce que, si on enlève la peau de quelqu'un, il peut encore vivre ?

Est-ce que ce serait possible, une piscine de Nutella ?

Est-ce que les méchants, ça peut aussi être des papas ?

Comment elles font, les mamans, pour arroser les petites graines à bébés ?

Jusqu'à combien tu sais compter ?

Est-ce que c'est long, une heure ?

Jusqu'à quel pays je pourrais marcher avant d'user mes chaussures complètement ?

Comment elles font, les boussoles, pour savoir où est le nord ?

Est-ce qu'il y a des choses qui existent mais qu'on ne voit pas ?

Est-ce que ça existe, les arbres à brocolis ?

Jusqu'où il va, le ciel ?

Pourquoi les animaux ils ne rient jamais ?

Pourquoi dans les films ils ne font jamais caca ?

Pourquoi, quand Tarzan il fait « Aaaaaaaa », ça fait des notes différentes alors qu'il ne bouge pas sa bouche ?

Est-ce que tu crois qu'on vivra assez vieux, toi et moi, pour vivre une autre époque ?

Les zèbres, ils ont des rayures blanches ou des rayures noires ?

À quoi ça sert d'avoir inventé les gros mots si on n'a pas le droit de les dire ?

Est-ce que c'est sûr que tu vas mourir avant moi ?

Le ministre de l'intérieur, il est à l'intérieur de quoi ?

Pourquoi est-ce qu'on doit souffler sur le feu pour l'allumer et souffler sur la bougie pour l'éteindre ?

Est-ce que tu aimerais mieux qu'on te coupe les bras ou les jambes ?

Qu'est-ce que ça fait si on mange un ver de terre ?

C'est qui que tu préfères, de tous les gens que tu connais, même moi ?

À qui c'est, la mer ?

Combien il pèse, cet immeuble ?

Liste des titres de la collection Harlequin
comportant le mot « père » ou « papa »

PAPA, MÉDECIN, ET AMOUREUX,   DE JANET FERGUSON
UN PAPA À SÉDUIRE,   DE CATHIE LINZ
UN PÈRE POUR UN ENFANT,   DE SANDRA STEFFEN
CHERCHE PÈRE IDÉAL,   DE LIZ IRELAND
UN PÈRE PRESQUE PARFAIT,   DE PEG SUTHERLAND
PAPA PAR AMOUR,   DE HOLLY JACOBS
UN PÈRE PROVIDENTIEL,   DE MARIE FERRARELLA
UN PÈRE AU GRAND CŒUR,   DE SHARON DE VITA
UN PÈRE MODÈLE,   DE VALÉRIE PARV
ESPION, CÉLIBATAIRE ET… PAPA,   DE MARIE FERRARELLA
PIÈGE POUR UN PÈRE,   DE KELSEY ROBERTS
UN PÈRE AU CŒUR TENDRE,   D'ALICE SHARPE
UN PÈRE À MARIER,   DE MAUREEN CHILD
LE DESTIN D'UN PÈRE,   D'ANNE PETERS
UN PÈRE EXEMPLAIRE,   DE MARIE FERRARELLA
L'INSTINCT D'UN PÈRE,   DE JANICE KAY JOHNSON
SOS PÈRE EN DÉTRESSE,   DE BARBARA HANNAY
PÈRE PAR SURPRISE,   DE MAUREEN CHILD
LA TENDRESSE D'UN PÈRE,   DE PATRICIA KNOLL
PAPA PAR VOCATION,   D'ELIZABETH HARBISON
PAPA SURPRISE,   DE LAURIE PAIGE
PAPA POUR UNE SEMAINE,   DE JULE MCBRIDE
PAPA À L'ESSAI,   DE HEATHER MACALLISTER
PAPA DANS L'ÂME,   DE MARIE FERRARELLA
PAPA-TENDRESSE,   DE KRISTINE ROLOFSON
UN PAPA POUR NOËL,   DE SALLY CARLEEN
UN PAPA PAS COMME LES AUTRES,   DE LISA KAY LAUREL
CÉLIBATAIRE ET PAPA,   DE MARIE FERRARELLA
UN PAPA POUR BOBBY,   DE DIANA WHITNEY
DE PÈRE INCONNU,   DE PAMELA TOTH
UN PAPA AU GRAND CŒUR,   DE CLARA COLTER
UN PAPA TRÈS ATTENDU,   DE BARBARA MCMAHON
UN APPRENTI PAPA   DE KATHIE DENOSKY
UN PAPA EN CADEAU,   DE BARBARA BRETTON
UN PAPA IDÉAL,   DE MYRNA MACKENZIE
UN FORMIDABLE PAPA,   DE SUSAN MEIER
UN PAPA FORMIDABLE,   DE KRISTIN MORGAN

Liste des titres
de la collection San Antonio
comportant le mot « mère » ou « maman »

SI MAMAN ME VOYAIT !

MAMAN, LA DAME FAIT RIEN QU'À ME FAIRE DES CHOSES !

Conclusion : *non, hommes et femmes ne partagent pas les mêmes fantasmes. Si le père célibataire, médecin, providentiel, amoureux et tendre représente* **AUSSI** *pour la femme l'amant idéal, pour l'homme, au contraire, il semblerait que la maman soit définitivement celle qui s'oppose à la putain, pour reprendre un titre célèbre. Donc intouchable…*

Quiz sur les papas people

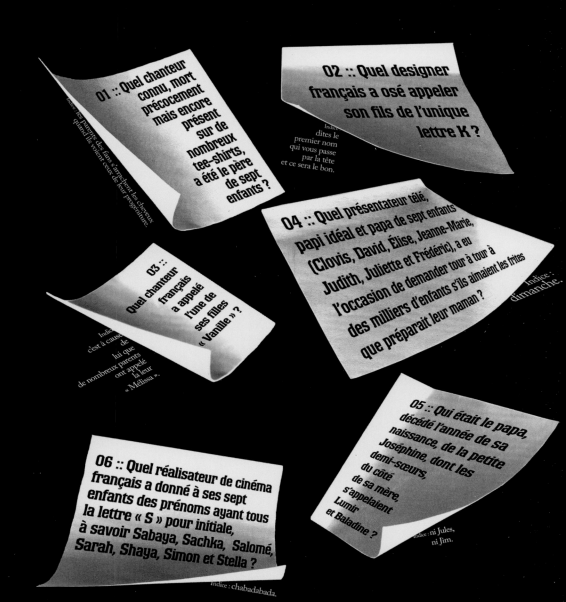

01 :: Quel chanteur connu, mort précocement mais encore présent sur de nombreux tee-shirts, a été le père de sept enfants ?

Indice : des parents des fans s'arrachent les cheveux quand ils voient ceux de leur progéniture.

02 :: Quel designer français a osé appeler son fils de l'unique lettre K ?

Indice : dites le premier nom qui vous passe par la tête et ce sera le bon.

03 :: Quel chanteur français a appelé l'une de ses filles « Vanille » ?

Indice : c'est à cause de lui que de nombreux parents ont appelé la leur « Mélissa ».

04 :: Quel présentateur télé, papi idéal et papa de sept enfants (Clovis, David, Élise, Jeanne-Marie, Judith, Juliette et Frédéric), a eu l'occasion de demander tour à tour à des milliers d'enfants s'ils aimaient les frites que préparait leur maman ?

Indice : dimanche.

05 :: Qui était le papa, décédé l'année de sa naissance, de la petite Joséphine, dont les demi-sœurs, du côté de sa mère, s'appelaient Lumir et Baladine ?

Indice : ni Jules, ni Jim.

06 :: Quel réalisateur de cinéma français a donné à ses sept enfants des prénoms ayant tous la lettre « S » pour initiale, à savoir Sabaya, Sachka, Salomé, Sarah, Shaya, Simon et Stella ?

Indice : chabadabada.

07 :: Avec quelle actrice célèbre, rencontrée alors qu'ils tournaient ensemble un film sur les amours de George Sand et d'Alfred de Musset, Benoît Magimel est-il devenu papa d'une petite Hanna ?

Indice : L'actrice en question était déjà maman d'un petit Raphaël, qu'elle avait eu avec le professeur de plongée du Grand Bleu.

08 :: Quel célèbre acteur anglais a reçu un jour un fax d'Isabelle Adjani lui annonçant qu'il allait être papa ?

Indice : ma belle laverie, c'est lui

09 :: Quel écrivain italien très connu en France a pu écrire cette phrase : « C'est votre père qui est votre obligé, et non point le contraire : vous payez de bien des années de larmes un sien moment de plaisant chatouillement » ?

Indice : son roman policier médiéval s'est vendu à 16 millions d'exemplaires.

10 :: Quel chanteur français est devenu papa d'une petite Yasmine en épousant la princesse royale polonaise Sarah Poniatowski ?

Indice : il a des yeux revolver.

11 :: Quel célèbre séducteur n'est devenu papa qu'à l'âge de soixante-sept ans ?

Indice : au moment de cette naissance, il était en train de tourner un rôle de grand-père : le Papet.

Réponses

11 :: Yves Montand
10 :: Marc Lavoine
09 :: Umberto Eco
08 :: Daniel Day-Lewis, et leur fils, né plusieurs mois après leur rupture, s'appelle Gabriel Kane.
07 :: Juliette Binoche (et la maman Fanny Ardant)
06 :: Claude Lelouch
05 :: François Truffaut
04 :: Jacques Martin
03 :: Julien Clerc
02 :: Philippe Starck
01 :: Bob Marley

31

Une pomme ne tombe pas loin du pommier

Tel père, tel fils : un proverbe que mille exemples viennent faire mentir, et pourtant, il existe dans de nombreuses langues.

Les chiens
ne font pas
des chats.
proverbe français

Fils de poisson
sait nager.
proverbe portugais

On ne cueille
pas des raisins
sur les épines
ou des figues
sur les roses.
proverbe grec

Qui plante
un melon
récolte un melon.
proverbe chinois

Si l'étalon
et la jument trottent,
comment le poulain
irait-il lentement ?
proverbe allemand

Un pin
[fa]it un pin,
[i]l ne peut
faire
[d]u jasmin.
[p]roverbe turc

Tel père,
tel fils.
proverbe français

Est lion
qui est fils de lion.
proverbe hébreu

Le fils
d'un tigre est
un tigre.
proverbe haïtien

Le fils du crapaud
est un crapaud.
proverbe japonais

Les corbeaux
ne font pas
des pies.
proverbe picard

La gazelle saute.
Comment
son petit
ramperait-il ?
proverbe peul

Sa mère oignon,
son père ail :
comment le fils
sentirait-il bon ?
proverbe turc

33

Nuancier de verts poétiques

vert amende : *couleur prune*

vert mi-fuge : *vert qui tend à s'effacer*

vert bal : *de la couleur de la robe de Scarlett O'Hara*

vert du nez : *couleur morve*

vert transitif : *vert tirant sérieusement sur le bleu*

vert glacé : *presque blanc, en plus traître*

vert jus : *l'autre couleur du jus de raisin (blanc)*

vert millon : *vert des feux tricolores en cas de litige*

vert mine : *vert grisâtre, la couleur des méchants*

vert moulu : *vieux vert*

vert nid : *vert-jaune des brins d'herbe pas encore séchés*

vert dépoli : *couleur des petits galets de verre que l'on trouve sur la plage*

vert à liqueur : *vert chartreuse*

vert bullé : *vert irisé des bulles de savon*

vert Popeye : *vert épinard*

vert optique : *vert phosphorescent, appelé aussi vert luisant*

vert correcteur : *vert des tests ophtalmologiques*

vert vingt heures : *vert pistache*

vert propre : *sans rouge qui tache*

vert de vin : *équivalent du vert bouteille*

vert-roux : *vert piqueté de rouille qu'on observe sur les vieilles serrures*

vert irrégulier : *vert laissant apparaître des nuances de jaune et de bleu*

vert déformant : *appelé aussi vert de gnon, couleur cocard*

vert gréco-latin : *vert passé*

vert féroce : à l'opposé
du vert tendre

vert sicolore : mélange
de 3 bleus + 3 jaunes différents

vert soir : de la couleur
du dernier rayon du soleil avant
qu'il verse dans la mer

vert galant : la couleur de l'espoir,
car le galant a une idée derrière la tête

vert de terre : d'un vert qui tire
vers le marron

vert sapin : couleur cadavre

vert toc : moins riche
que le vert émeraude

vert tige : couleur du teint
en cas de nausée

vert tueux : vert qui jure
malgré ses efforts (le vert laid tue)

vert paradis : couleur tendre
d'autrefois, généralement perdue

vert laine : dernier vert
de l'automne avant les sanglots
longs des violons

vert de mars : couleur
extraterrestre

vert d'âtre : du vert bleuté
de certaines petites flammes (réalisable
avec du borate de méthyle)

vert chlorophylle indienne :
teinte des ennemis des Peaux-Rouges

vert Claude Jade : couleur
de l'amour en fuite

vert sion française : conversion
tricolore du vert anglais

vert de bière : autre nom
du vert mousse

vert Éden : autre nom
du vert pomme

vert veine : couleur apaisante
proche du vert tilleul

vert écolo : couleur changeante,
voir aussi vert satile

petit vert d'eau : couleur mare

grand vert d'eau : couleur mer

géant vert : couleur Hulk

COMMENT ÉLIMINER LES CALORIES D'UNE PORTION DE FRITES ?

*On les compte, on les fuit, on les stocke ou on les brûle (dit-on) :
les fameuses calories font couler de l'encre dans les magazines à chaque
printemps, de l'encre qui vient teinter le sang des aspirantes au port
du maillot de bain. Quasi absentes dans les légumes pleins d'eau, ces
calories redoutées grouillent – les traîtresses – dans ce qu'il y a de meilleur :
grignotages d'apéritif, plateau de fromages, desserts...
Et même dans ce plat qui fait l'unanimité, une bonne vieille barquette
de frites dorées. Si vous avez craqué, voici comment vous en débarrasser.
La chasse est ouverte !*

Nager la brasse pendant 1 heure et 15 minutes
ou le crawl pendant 40 minutes.

Monter des escaliers pendant 1 heure et 20 minutes.

Jardiner pendant 1 heure et 15 minutes.

Danser pendant 1 heure et 30 minutes.

Jouer aux cartes pendant 3 heures et 30 minutes.

Jouer au ping-pong pendant 1/2 journée.

Faire la vaisselle pendant presque 3 heures.

Faire 2 heures de jogging à allure modérée
ou 1 heure et 30 minutes de jogging intensif.

Tondre la pelouse pendant 1 heure et 20 minutes.

Marcher pendant 1/2 journée.

Faire 50 minutes de squash.

Faire de l'aérobic pendant 50 minutes.

Regarder la télévision pendant 25 heures.

Faire les courses au supermarché
pendant 1 heure et 45 minutes.

Conduire sa voiture pendant 8 heures.

Faire un match de tennis pendant 35 minutes
en simple ou 1 heure et 30 minutes en double.

Jouer d'un instrument de musique
pendant 5 heures.

Faire l'amour pendant 2 heures... ou le ménage.

TCHIN ! TCHIN !

Française, cette expression ? Eh oui, malgré les consonances exotiques. Elle est censée reproduire le son que font deux verres quand on les entrechoque. À l'origine de cette coutume, on avance la pratique courante consistant à prévenir les tentatives d'empoisonnement : chacun des deux buveurs faisait couler dans le verre de l'autre un peu du sien. Avec un peu d'habileté, l'échange de liquide pouvait se faire par un léger entrechoc, au cours duquel on s'échangeait un regard qui signifiait en quelque sorte « Si je meurs, tu meurs aussi, et si nul ne meurt, alors soyons amis. » Il en reste ce simple mot lancé de nos jours : « Santé ! » Petit tour du monde pour apprendre à porter un toast où que vous soyez invité.

en afrikaan (Afrique du Sud) **Gesondheid**
en albanais **Gezuar**
en anglais **Cheers**
en arabe **Prost** (en allemand)
en arménien **Genatzi**
en asturien **Gayola**
en azerbaïdjanais **Áiyaet oshun**
en breton **Dermat**
en basque **Topa**
en malte **Sacha**
en bengali **Joy**
en bulgare **Nazdrave**
en chinois **Gan bei**
en letton **Prieka**
en grec **Yamas**
en turc **Sherefés**
en estonien **Terviseks**
en birmanien **Ang Bar See**
en espagnol **Salud**
en esperanto **Ja Zia Sano**
en coréen **Kong Gang Ul Wi Ha Yo**
en écossais **Slainte mhath**
en éthiopien **Letenatchie**
en flamand **Op Uw Gezonheid**
en finnois **Kippis**
en gallois **Lechyd Da**
en groënlandais **Kasugta**
en hawaïen **Kamau**
en hébreu **Li Jaïm**
en hongrois **Egészségedre**
en indien **Aananda**
en indonésien **Salaamati**
en iranien **Selamat**
en irlandais **Salonge**
en italien **Salute**
en islandais **Santaka Na**
en japonais **Kampai**
en libanais **Vesar**
en lituanien **I Sveikata**
en malaisien **Yam Send**
en nigérian **Mogba**
en russe **Na zdorovie**
en roumain **Norok**
en somalien **Auguryo**
en norvégien **Skoäl**
en ourdou **Zanda Bashi**
en néo-zélandais **Kia-Ora**
en penjabi **Kamjab raho**
en philippin **Mabhuhay**
en portugais **À sua saude**
en swahili **Sabatuk Fy Sudan Furah**
en tahitien **Mannia**
en thaïlandais **Chai-Yo**
en tchèque **Nazdraví**
en tibétain **Phun Tsun Tsok**
en wolof **Jaraama**
en yiddish **Mazel tov**
en vietnamien **Chia**
en yougoslave **Ziveli**
en zoulou **Oogy Wa Wa**

39

QUESTIONS À POSER À VOS INVITÉS
POUR LES PRÉPARER À INTÉGRER OXFORD OU CAMBRIDGE

*Comme chacun sait, « Oxbridge » correspond au nec plus ultra
des universités britanniques. Comment pourrait-on donc y entrer
en rédigeant des dissertations en trois parties ou en calculant de banales
racines carrées ? Non, le jeu est plus corsé : le candidat est placé devant
un jury qui le « cuisine » en le mitraillant de questions plus déstabilisantes
les unes que les autres, destinées à observer son sens de la repartie
au moins autant que sa culture générale. À pratiquer pour le plaisir
à table… à moins que vous ne préfériez jouer à inventer
de nouvelles questions tordues.*

Êtes-vous cool ?

Pouvez-vo

Voici un morceau d'écorce, parlez-

Combien y a-t-il d'atomes dans une tomate ?

À quoi sert l'Espagn

Pourquoi les plantes n'ont-elles pas de cerveau

Surprenez-nous.

Pourriez-vous définir
l'économie en un seul mot ?

La carotte peut-elle être considérée
comme un fruit théâtral ?

Quelle est votre couleur favorite et en quoi ce goût reflète-t-il votre personnalité ?

Quel pourcentage de toute l'eau du monde est contenu dans une vache ?

Pourquoi l'Univers existe-t-il ?

Quels arguments pourriez-vous déployer pour soutenir que ce que tout le monde appelle une banane n'est pas une banane en réalité ?

Comment définiriez-vous le temps ?

Quelle est, d'un point de vue humaniste, la définition d'une jarretière ?

llumer une bougie dans un vaisseau spatial ?

Pourquoi aussi peu d'Américains croient-ils en la théorie de l'évolution ?

Qu'est-ce qui est le plus intéressant dans un écureuil ?

Quel type de programme informatique faudrait-il inventer pour qu'un ordinateur soit capable de faire la différence entre une banane et une pomme ?

Quel est le point commun entre George Bush et un singe ?

Si l'Histoire avait une forme, laquelle serait-ce ?

En quoi les Dix Commandements peuvent-ils s'appliquer à notre Premier ministre ?

Pourquoi notre cœur est-il à gauche ?

Pourquoi les animaux n'ont-ils jamais de fourrure verte ?

Comment feriez-vous pour convaincre un contribuable qu'il est juste qu'il paie des impôts pour financer vos trois années d'études dans cette école ?

À la question posée, la réponse est non. Quelle est la question ?

41

DES ÉPICES AUX ESPÈCES

Aviez-vous déjà fait le lien entre ces deux mots ? Pourtant, le mot « épices » vient du latin *species*, « espèces ». C'est l'abréviation de l'expression « espèces aromatiques », dans laquelle on englobait non seulement tous les aromates, mais aussi les confiseries (dragées, bonbons, nougat, confiture, fruits confits…). En somme, tout ce qui agrémentait le repas. Comme les épices proprement dites étaient rares et chères, elles constituaient un présent appréciable. On en offrait par exemple aux juges qui avaient donné un verdict favorable. Puis, à partir du XIVe siècle, les magistrats exigèrent d'être rétribués en « espèces sonnantes et trébuchantes ». Or, il n'était pas facile de faire sonner des clous de girofle ou des bâtons de cannelle. C'est que les temps avaient changé : ils voulaient désormais de l'argent. D'où l'origine de nos « espèces » actuelles, celles que l'on retire à la banque pour payer l'épicier.

MENU MUSICAL

Ce qui pêche souvent dans les restaurants – l'aviez-vous remarqué ?–, c'est le fond musical. Si chic que puisse être l'enseigne, si moelleux les fauteuils et si raffinés les mets, on n'y est jamais à l'abri d'une radio mal réglée qui crachouille ou, au mieux, d'un programme insipide de musique d'ascenseur. Pour régaler vos convives sans les faire grossir, voici une playlist de morceaux comestibles.

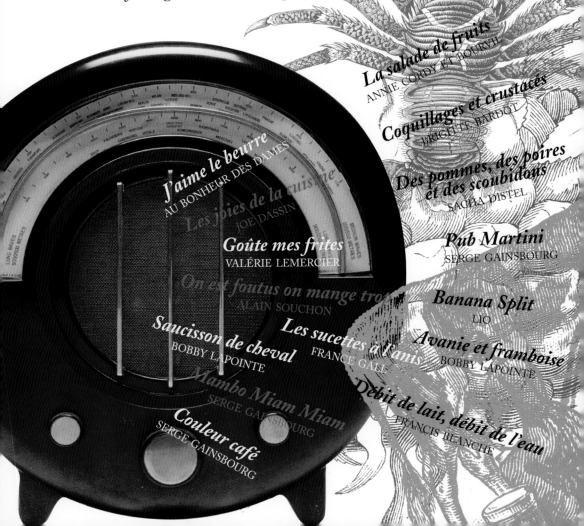

La salade de fruits
ANNIE CORDY ET POURVIL

Coquillages et crustacés
BRIGITTE BARDOT

Des pommes, des poires et des scoubidous
SACHA DISTEL

J'aime le beurre
AU BONHEUR DES DAMES

Les joies de la cuisine
JOE DASSIN

Goûte mes frites
VALÉRIE LEMERCIER

Pub Martini
SERGE GAINSBOURG

On est foutus on mange trop
ALAIN SOUCHON

Banana Split
LIO

Saucisson de cheval
BOBBY LAPOINTE

Les sucettes à l'anis
FRANCE GALL

Avanie et framboise
BOBBY LAPOINTE

Mambo Miam Miam
SERGE GAINSBOURG

Débit de lait, débit de l'eau
FRANCIS BLANCHE

Couleur café
SERGE GAINSBOURG

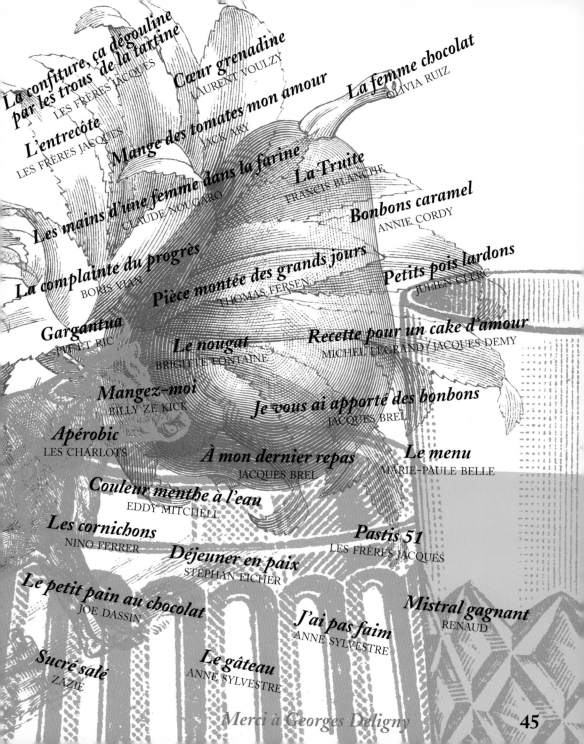

La confiture, ça dégouline par les trous de la tartine
LES FRÈRES JACQUES

Cœur grenadine
LAURENT VOULZY

La femme chocolat
OLIVIA RUIZ

L'entrecôte
LES FRÈRES JACQUES

Mange des tomates mon amour
JACK ARY

Les mains d'une femme dans la farine
CLAUDE NOUGARO

La Truite
FRANCIS BLANCHE

Bonbons caramel
ANNIE CORDY

La complainte du progrès
BORIS VIAN

Pièce montée des grands jours
THOMAS FERSEN

Petits pois lardons
JULIEN CLERC

Gargantua
PIL ET RIC

Le nougat
BRIGITTE FONTAINE

Recette pour un cake d'amour
MICHEL LEGRAND / JACQUES DEMY

Mangez-moi
BILLY ZE KICK

Je vous ai apporté des bonbons
JACQUES BREL

Apérobic
LES CHARLOTS

À mon dernier repas
JACQUES BREL

Le menu
MARIE-PAULE BELLE

Couleur menthe à l'eau
EDDY MITCHELL

Les cornichons
NINO FERRER

Pastis 51
LES FRÈRES JACQUES

Déjeuner en paix
STEPHAN EICHER

Le petit pain au chocolat
JOE DASSIN

J'ai pas faim
ANNE SYLVESTRE

Mistral gagnant
RENAUD

Sucré salé
ZAZIE

Le gâteau
ANNE SYLVESTRE

Merci à Georges Deligny

45

LE TEST DU CRÂNE BIEN FARCI

« Dis-moi ce que tu manges, je te dirai qui tu es. »
S'il est un domaine dans lequel on revendique haut et fort ses goûts
et ses couleurs, c'est bien son assiette. Comme si le droit à une identité
propre passait par cette différence. Et pourtant, tandis que vous pensiez
vous démarquer en boudant les salsifis ou en raffolant du fromage,
c'est votre tête qui se laissait farcir sans résister. La vôtre, la nôtre,
à nous tous, et uniformément. Un test ? Essayez de remplir les pointillés,
et vous frémirez probablement d'obtenir sans peine 20 / 20 !

1. Le soleil vient de se lever, encore une belle journée, il va bientôt arriver, l'ami ....

2. ...., toujours si propre que l'on peut se voir dedans.

3. Fraîcheur de vivre, ...

4. ...., ..., vos idées ont du génie.

5. Pas d'erreur, c'est ....

6. Merci qui ? Merci ....

7. Des pâtes, des pâtes, oui mais des ....

8. ...., secouez-moi, secouez-moi !

9. Un .... et ça repart !

10. Quand je fais de la ...., je suis sûre que tout le monde en reprend.

11. Du pain, du vin, du ...., je vais bien.

12. Quand c'est trop, c'est ....

13. ...., c'est gonflé.

14. Un gros cube, un petit cube, c'est l'heure de l'....................

15. .... ou je fais un malheur.

16. Tout le monde se lève pour ....

17. ...., oh oui !

18. Il n'y a que .... qui m'aille.

19. Y'a bon ....!

20. ...., un café nommé désir.

NOTE :

..... / 20

LISTE DES SUBSTANTIFS EMPLOYÉS COMME ADJECTIFS DE COULEURS
DONT ON REMARQUERA
QUE 30 % SONT COMESTIBLES

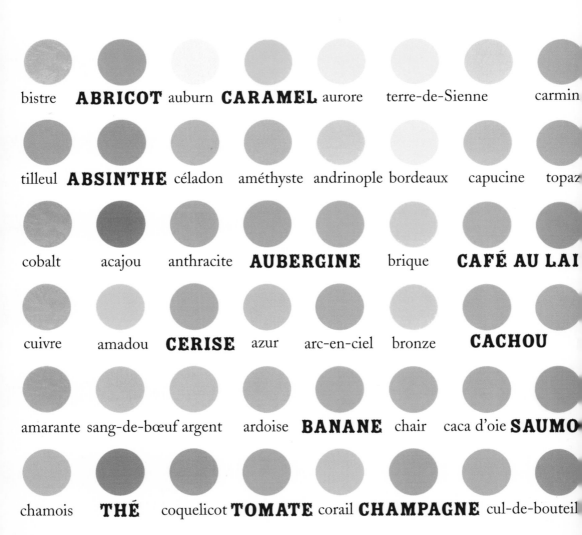

bistre | **ABRICOT** | auburn | **CARAMEL** | aurore | terre-de-Sienne | carmin

tilleul | **ABSINTHE** | céladon | améthyste | andrinople | bordeaux | capucine | topaz

cobalt | acajou | anthracite | **AUBERGINE** | brique | **CAFÉ AU LAI**

cuivre | amadou | **CERISE** | azur | arc-en-ciel | bronze | **CACHOU**

amarante | sang-de-bœuf | argent | ardoise | **BANANE** | chair | caca d'oie | **SAUMO**

chamois | **THÉ** | coquelicot | **TOMATE** | corail | **CHAMPAGNE** | cul-de-bouteil

ébène FRAMBOISE gorge-de-pigeon mastic or MOUTARDE tango

paille feuille morte émeraude turquoise outremer nacre nacarat ocre

indigo cyclamen tête-de-nègre grenat OLIVE perle PISTACHE sépia

ilasse CREVETTE garance havane PASTÈQUE puce pétrole réséda

CHÂTAIGNE pastel pervenche NOISETTE pic ORANGE rouille

kaki CHOCOLAT vermillon jonquille jade ivoire ponceau sable

marron CITRON lavande LIE-DE-VIN prune SAFRAN sang POMME

marengo CRÈME POIVRE ET SEL serin saphir tabac soufre

EXERCICE DE STYLE :
COMMENT METTRE LES PETITS PLATS DANS LES GRANDS

Si jamais vous ne parlez pas «grand chef» couramment, voici un cours de rattrapage afin de transfigurer vos plats maison en menu de restaurant, à partir d'exemples pratiques et bien réels. Nul besoin d'être un cordon-bleu : une pincée de fantaisie, une bonne rasade de conformisme fashion, deux ou trois habiles détournements, vous passez la syntaxe dans un shaker, et hop ! vous voilà étoilé.

Commencez par ajouter «le» ou «la» devant le nom du plat, voire le pluriel de majesté «notre» : l'œuf en coque d'asperges, le blanc de barbue de nos côtes, notre poularde truffée en cocotte printanière…

Et puis tiens, pendant que vous y êtes, désignez la garniture par un article possessif : le suprême de canard et SA purée de brocolis, les crevettes sauvages tièdes et LEUR crème de tête, le mont-blanc parfumé au vieux rhum et SES perles de meringue…

Précisez (ou inventez) l'origine géographique des ingrédients : pommes du verger plutôt que pommes tout court et pomme des gourmets plutôt que de terre, haricots de Val de Lantosque, huile du moulin de Callanquet, épeautre du pays de Sault, radis de plein champ, sorbet de l'au-delà des mers…

Expliquez le mode de préparation : bar de ligne cuit doucement en cocotte de verre, épaule d'agneau cuisson lente, homard rôti dans une casserole aux petits oignons, framboise délicatement posée sur un sablé…

Précision obligatoire : mi-cuisez le foie gras, le thon et le moelleux au chocolat, mi-fumez le saumon, semi-confisez les tomates… et servez tout le reste à la plancha.

Ajoutez des adjectifs qualifiant la consistance : céleri fondant, salade craquante, anguille fumée moelleuse… sans oublier que la tarte sera toujours fine, la crème légère, les herbes fraîches, les légumes jeunes, le poivre de Séchouan et le bar de ligne.

Mieux encore, combinez-les savamment : allumettes de fenouil crousti-fondantes, mousse au lait jivara lactée glacée, carré d'agneau rôti-poché…

Feignez habilement la simplicité : Saint-jacques juste rôties, bar juste poêlé, écrasée de pommes à l'huile vierge, filet de bœuf nature, sucs d'arêtes crémés à peine réduits au vin jaune…

Néanmoins, privilégiez les synonymes élégants et sibyllins : pétale plutôt que tranche, effilochée pour morceaux, estouffade à la place de ragoût, et ce que vous voulez « snacké » plutôt que pané…

Abusez de périphrases poétiques signifiant « ce que j'avais sous la main » : sélection du potager, racines d'automne, panier du marché, légumes de saison, primeurs des jardins, méli-mélo fraîcheur…

Détournez le sens commun de plats connus : carpaccio de canard, d'ananas, voire de tomate (jamais de bœuf, malheureux !), cappuccino d'asperges, guacamole de petits pois, bonbons de tomates, pesto d'oseille, de coriandre ou de roquette (surtout pas de basilic)…

Adjectivez et participe-passez : jus truffé, émulsion coraillée, pâtes crémées, marinière herbacée, nage vinaigrée-tomatée, chocolat finement cacahouété…

Substantivez le reste : paysanne de légumes, croquant de fenouil, pressé de pintade, caillé de brebis, effilochée de raie, émiettée d'épaule de lapin, crémeux de romaine…

Empruntez au vocabulaire de la chimie : yaourt virtuel, écume de petits pois, steak destructuré, soufflé effervescent, omelette reconstituée, compression de légumes, gelée d'eau de mer, tapenade séchée… (et servez les sauces dans des tubes à essai).

Quand vous serez incollable en chimie, vous pourrez remplacer « au » par « de » lors des prouesses suivantes : crème d'estragon, de laitue ou de carottes ; beurre de truffes ou d'algues ; vinaigrette de pomme verte ; eau de pistache ; jus de crustacés, de poulet, voire de terre (Marc Veyrat)…

Introduisez quelques chiffres pour faire riche : mousse aux trois chocolats, poêlée aux deux pommes…

Dissimulez la nature du dessert sous des termes abstraits : douceur hivernale, plaisir sucré d'autrefois, cristalline de fraises gariguettes, impatience aux deux chocolats, fraîcheur de pomme verte, passion d'agrumes, surprise pistachée…

Vous pouvez même prêter aux ingrédients des émotions humaines : fleurs de courgette ivres de girolles, saumon tartare passionné, prouesse de fruits rouges en colère, saveur assoupie d'une poitrine de porc pincée de moutarde…

Petite touche finale : Ajoutez Des Majuscules À Chacun Des Mots. Et le tour est joué !

VOUS AVEZ DÉJÀ GOÛTÉ ?

Tous ces produits existent ou ont existé, réalisés à échelle industrielle, quelque part dans le monde… mais peut-être pas jusqu'à atteindre votre assiette.

l'eau-de-vie de lézard
la bière au piment
la boisson antirides
le chocolat en tube à tartiner sur le corps
la crème de jambon en tube
la soupe à la tortue
la guimauve à tartiner
le chewing-gum qui augmente le QI
la soupe australienne à la queue de kangourou
la terrine d'émeu
l'eau aux billes de gomme de xanthane en suspension
le bâtonnet de viande à mâcher
le café en tasse auto-chauffante
le chewing-gum en aérosol
l'eau de pluie de Tasmanie à boire
le chocolat belge au poivre rose
le café au piment
le chocolat chaud aux pépites de guimauve
le fromage en vaporisateur
l'eau de mer à boire
le pain prébeurré
le saké aux nageoires de fugu

les frites multicolores
le spray buccal aide-minceur
le vin bleu à la fraise
le nounours en chocolat blanc à peindre soi-même
les biscuits au vin et au poivre
le lait parfumé au bourbon, au sirop d'érable et aux noix
la crème glacée déshydratée
le chocolat au fromage sous plastique
les bouchées de barbe à papa
les chewing-gums dont les bulles se transforment en ballons
les biscuits soporifiques à grignoter avant de se coucher
les boulettes de riz à mâcher pour bébés japonais
les chips de viande
les sucettes à la larve ou au criquet
les granulés de bacon à saupoudrer
les pastilles anti-stress
les fourmis frites pour l'apéritif
les œufs en brique ou en tube

53

PLATS COMPOSÉS

Pas sûr que vous ayez déjà vu ces spécialités au menu de quelque restaurant,
mais il est plaisant de les imaginer. Quel en est le compositeur ?
Notre ami l'auteur du site de toutes les listes, j'ai nommé echolalie.com…

BABA AU RHUM
ET AUX JULIETTES

AAAAH

NAVET MARIA

BEURRE
D'ESCARGOT MINA

SARDINES
EN TÊTES À TÊTES

BROCOLIS
POSTAUX

CANARD
À L'ORANGE MÉCANIQUE

HAMBURGER
ATOMIQUE

ESPADON DE DIEU

... / ...

55

LES PAGES PRÉCÉDENTES VOUS ONT PLU ?
À VOUS D'IMAGINER LA SUITE.

- Abominable tomme des neiges
- Andouillettes
  au vin blanc d'Espagne
- Artichauts lapins
- Aspic assiette
- Betteraves party
- Bigmac OS
- Blanquette de veau cresson
- Blanquette du Graal
- Bœuf à la ficelle de cheval
- Bœuf en daube Hermann
- Bœuf Orlov story
- Bouchées à la reine de Saba
- Boudin aux pommes pom girls
- Brandade de morue Saint-Denis
- Brie de Meaux d'esprit
- Bulots de consolation
- Cailles aux raisins de la colère
- Calmar à la plancha roulette
- Canard au sang Antonio
- Canard aux navets César
- Cassoulet de Redon
- Céleri coché
- Chili con carné à spirales
- Chocolats à la liqueur de palmier
- Choucroute départementale
- Clafoutis à la rhubarbe fleurie
- Confit d'oie d'honneur
- Confiture de coings tranquilles
- Croissant aux amandes à Rine
- Croustade de gruyère
  et d'aujourd'hui
- Darnes de saumon de Vénus
- Émincé de porc de plaisance
- Endives au gratin mondain
- Entrecôte d'Ivoire
- Escalope bordelaise majesté
- Escalope de Vega
- Escalope maître
  d'hôtel de passes
- Faisan autant
- Filet de bar tabac
- Filet de lieu commun
- Filet mignon tout plein
- Foie gras du bide
- Fricassée d'escargots
  des typographes
- Glace à la pistache de son
- Goulash aspiré
- Gras double mixte
- Gratin d'aubergines tailles basses
- Gratin de morue Lepic

- Hachis Parmentier presque
- Jambon de Paris stupide
- Jambon sang de bonsoir
- Langouste dehors !
- Munster de feu
- Œuf à la coque à l'âne
- Oignons à l'Escoffier
  comme Artaban
- Omelette au lard de la fugue
- Onglet à l'échalote Réamont
- Paella Fitzgerald
- Pain complet veston
- Pain d'épices sur le gazon
- Pain perdu sans collier
- Pâté de campagne de Russie
- Pavé au roquefort des halles
- Pet-de-nonne à génère
- Pétoncles Sam
- Pied de porc en gelée bien eue
- Pieds et paquets recommandés
- Pintade flambée
  au whisky nautique
- Plateau de fruits
  de mer indigne
- Pot-au-feu follet
- Potage composé des jalons

- Poule faisanne et bisextile
- Raviolis superposés
- Rillettes de canard enchaîné
- Rognons au madère des ders
- Roquefort de café
- Rouget noir de Stendhal
- Salade de museau de Vincennes
- Salami de la famille
- Sandwich au thon acerbe
- Sardines
  à l'unilatéral d'Tribune
- Spaghettis carbonara Kiri
- Tarte à la rhubarbe
  de trois jours
- Tartiflette comme chez vous
- Tomme de Savoie du Seigneur
- Tranche de porc panée
  sous une bonne étoile
- Treize desserts à rien
- Truite aux amandes à lire
- Turbot comme un astre
- Vacherin et Danube
- Veau marengo Johnny go
- Veau sous la mère de glace
- Vol-au-vent en poupe
- Yaourt au goût bulgare du Nord

あまり物には福がある

Amarimono niha fuku ga aru

Le bonheur se cache dans les restes.

Examen de conscience

Il est de notoriété publique qu'une grand-mère passe plus de choses à ses petits-enfants qu'elle n'en aurait toléré de ses enfants. Les mêmes bêtises semblent moins graves, les interdits s'évaporent, les règles s'assouplissent, et il apparaît soudain bien plus urgent de profiter des bons moments que de respecter l'ordre des coussins sur le canapé. Le cœur s'attendrit-il avec l'âge ou est-ce l'effet d'une grande sagesse ?

Comment auriez-vous réagi
si vous aviez surpris
vos enfants/vos petits-enfants
en train de…

- glisser sur la rampe de l'escalier
- dérouler du papier toilette pour voir jusqu'où ça va
- dédicacer la tapisserie de la chambre au feutre
- procéder à une étude comparative du contenu de la poubelle
- jouer à «qui a tué Nounours?» à l'aide de ketchup
- sauter sur votre lit à trois pour voir qui monte le plus haut
- ajouter des illustrations dans votre dictionnaire un peu triste
- vider le spray de mousse à raser pour faire un piège à GI-Joe
- arroser les plantes tout seuls, et le parquet aussi
- transformer le salon en cabane géante à grand renfort de coussins
- se maquiller en Sioux avec une boîte de cirage
- boulotter en douce une tablette de chocolat, cachés dans la niche du chien
- démonter l'horloge de la cuisine pour voir comment ça marche
- laver les vitres avec du parfum parce que ça marche très bien
- tester si ça flotte ou non dans le bain, une chaussure
- goûter ces appétissantes petites crottes pas-en-chocolat
- clouer un dessin au mur pour faire une surprise à Mamie
- faire deux trous dans une serviette de bain pour se déguiser en fantôme
- réinventer le téléphone sans fil à l'aide de ciseaux
- vider la bouteille de bain moussant pour que ça mousse, pardi
- se couper les cheveux tout seuls comme des grands
- organiser une bataille de coquillettes pendant que vous êtes au téléphone
- découper des confettis à la perforatrice dans des factures multicolores
- rendre sa liberté au canari
- jouer à «on serait des prisonniers et on s'évaderait par la fenêtre»
- dessiner sur la voiture avec un caillou parce que dans le garage, y a pas de papier
- écraser des chips avec les pieds pour entendre le petit bruit
- tester le shampooing au dentifrice pour sentir bon la menthe
- découper une cartouche d'encre neuve pour récupérer la petite bille au fond
- faire un petit feu dans le bureau avec une loupe
- jeter sa couche dans les toilettes parce que c'est là qu'elle habite, Mamie, tu sais!

Chansonnettes de mamie passées à la Moulinette

Ces comptines, vous les connaissez depuis toujours, peut-être les avez-vous apprises de votre propre grand-mère et transmises à votre tour. La mélodie aide à retenir les paroles, mais réfléchit-on vraiment au sens de celles-ci, quand on est enfant? Sait-on ce qu'est un divin enfant ou une pomme de reinette, quand on a trois ans? Comment, aujourd'hui, pourrait-on avoir entendu parler des matines que sonnaient les moines? Mais l'air est là, on a le son des mots sur le bout de la langue, alors on invente autre chose, on rafistole l'inconnu avec du connu. Quelle bonne raison de réveiller son grand frère Jacques, sinon pour aller sauver Martine? Il faut bien se rendre à l'évidence: au XXIᵉ siècle, Saddam Hussein est plus connu que Cadet Roussel… Quelques exemples d'interprétations enfantines glanées autour de nous…

« Frère Jacques, frère Jacques
Dormez-vous ? Dormez-vous ?
Sauvez les Martine ! Sauvez les Martine ! »

« Au clair de la Lune, mon papy Pierrot
Ouvre-moi ta porte pour écrire un peu
Ma Chantal est morte, je n'ai plus de feu »

« Saddam Hussein a trois maisons,
Qui n'ont ni poutres ni chevrons… »

« Ohé ! Ohé ! Matelot !
Matelot David sur les flots »

« Les huit choux
A merry Christmas !
Les huit choux
A merry Christmas ! »

« Pomme de nénette
Et pomme tapis
Tapis, tapis rouge… »

« Mon beau lapin
Roi des forêts »

La Marseillaise :
« Mozart, citoyen ! »

« Le bon roi Dagobert
Il a mis sa couche à l'envers »

« Elle est née Ludivine enfant
Jouez aux bois, résonnez musette »

63

C'est quoi, une grand-mère ?
Témoignages d'enfants

Ce sont souvent les intéressés qui en parlent le mieux…

Les grands-mères, ce sont les seuls adultes qui ont du temps.

C'est une maman qui nous aime beaucoup parce qu'elle n'a plus d'enfants à elle, alors elle fait comme si on était ses enfants.

Les grands-mères, elles chantent quand elles passent le balai.

On les reconnaît parce qu'elles ont souvent des lunettes. Et, des fois, elles peuvent même enlever leurs dents.

Elles sont un peu sourdes, mais surtout quand on a fait une bêtise, pour ne pas nous gêner.

Les grands-mères, elles meurent plus souvent que nous, alors il ne faut jamais les pousser, même pour jouer, parce qu'elles sont fragiles.

Elles ont juste à nous regarder pour deviner qu'on veut une deuxième part de gâteau.

Une vraie grand-mère
ne tape jamais.
Même quand elle gronde,
elle rit un peu.

Une grand-mère,
c'est une dame qui n'est
pas neuve, mais quand
même très douce.

Quand elles nous emmènent
en promenade, les grands-mères,
elles marchent lentement à côté
des chenilles et des belles feuilles
et elles ne disent jamais
«Allez, dépêche-toi!».

Ma grand-mère,
c'est la championne des frites.
Même si on lui en demande
en forme de boule ou d'étoile,
elle peut le faire.
Mais elle ne sait toujours pas
dire «ketchup»!

Les grands-mères,
elles oublient toujours
où elles ont mis leurs lunettes
mais jamais la date
de nos anniversaires.

65

Io, reine des grilles

*Énigmatique, ce titre ? Pas autant que les mille et une définitions
que reçut la jeune prêtresse de la mythologie grecque,
transformée en génisse par Zeus pour devenir sa maîtresse à l'insu
de Héra. Si vous êtes cruciverbiste, nul doute que vous avez maintes
fois croisé la route de ce personnage au nom si commode,
avec ses deux voyelles. L'écrivain George Perec à lui seul a proposé
vingt-huit définitions du petit mot. En voici d'autres,
glanées de ci de là. Lesquelles vous auraient-elles permis de deviner ?*

Acheva bêtement une existence qui s'annonçait divine • Ne resta pas fille après avoir connu l'amour • Dame de trèfle • Cow-girl • Vachement connue • Rien ne la prédisposait à devenir bouseuse • La Belle et la Bête • A vécu bêtement un certain temps • N'était pas plus belle à poils • Son père aurait eu de bonnes raisons de ne pas la reconnaître • Augmenta brusquement d'une unité le cheptel argien • Bipède devenu quadrupède • Quitta ses sandales pour mettre des sabots • Vécut avec un mufle • On pouvait l'entendre venir avec ses gros sabots • A été de mâle en pis • A dû ruminer sa vengeance • A découvert la voie lactée • N'a pas dû apprécier sa nouvelle robe • Porta finalement une robe à queue • Aurait pu faire meuh! • On l'a envoyée paître • Pratiqua l'amour vache • S'est trouvée toute bête • La crème des filles • On pouvait l'entendre venir avec ses gros sabots • Fut, sans doute, victime de la traite

La vie devant soi

*La retraite, c'est bien, on a enfin du temps pour faire ce qu'on veut…
ou plutôt ce qu'on peut, parce que chacun a aussi son lot de rhumatismes
et de petits bobos. Combien de personnes du troisième âge n'a-t-on pas
entendu dire qu'elles regrettaient d'être arrivées à la retraite si tard,
alors qu'elles en auraient bien mieux profité à 20 ans ?*
Et si l'on imaginait de vivre sa vie à l'envers ?

La mort, d'abord, on l'aurait derrière soi, ce qui est toujours moins effrayant que devant. On commencerait sa vie dans une maison de repos, au domaine des Cygnes, chouchoutés par des gentilles infirmières, à jouer au bridge dans un nuage de coton.

Quand on aurait fait le tour du parc, et grâce aux soins efficaces des gentilles infirmières, on aurait soif de découvrir le reste du monde. Et là, place aux vacances et aux voyages ! Croisières sur le Nil, compèt' de pétanque, lecture sans fin, déjeuners gastronomiques : la belle vie. L'argent ne serait pas un problème, on aurait d'emblée une maison confortable et des pantoufles assorties, sans compter les cartes de réduction. Et surtout du temps ! Plein de temps pour profiter des musées et des magasins aux heures creuses.

À force de vacances prolongées, le corps se sentirait de mieux en mieux : plus tonique, plus fort. À tel point qu'on aurait envie d'entamer de grands projets personnels et professionnels. On se déciderait donc à travailler, et on se prendrait suffisamment au jeu pour y passer une quarantaine d'années. D'abord calmement dans un bureau, certes, puis en multipliant les activités frénétiquement jusqu'à se sentir assez alerte pour aller livrer des pizzas à vélo en sifflotant.

L'argent ne compterait toujours pas, puisque, avec le temps, on gagnerait bien plus que des sous : une santé toujours croissante, une vitalité à vous donner chaque jour envie d'être déjà au jour suivant. Chaque matin, dans la glace, on se trouverait plus beau que la veille et moins que le lendemain. Nos enfants deviendraient de plus en plus mignons : d'ados ronchons, ils se transformeraient en petits anges bouclés demandeurs de câlins, et les soucis ne seraient rien, puisqu'on les saurait envolés le jour d'après. Puis, forts de notre longue expérience du couple, nous envisagerions notre nouveau célibat comme un terrain de liberté appréciable.

69

L'esprit gagnerait en rapidité. Nous qui ramions autrefois sur une grille de mots croisés, nous serions soudain capables d'apprendre une autre langue, de comprendre des systèmes de pensée complexes. Il serait temps alors d'abandonner le travail rémunéré (quel luxe !) pour nous consacrer avec passion à cette quête de connaissance : les études. Nous y passerions plusieurs années dorées, partagés avec une nouvelle occupation urgente et non moins passionnante : tester notre nouveau pouvoir de séduction et connaître des émois sensuels croissants.

Et puis, un jour, les garçons se réveilleraient avec les joues lisses et les filles seraient enfin débarrassées de leurs règles. Il nous suffirait de nous emparer d'un feutre pour que nous inventions des dessins incroyables. Tout deviendrait magique : les étincelles du barbecue, le bruit d'un tractopelle, le fonctionnement d'une pince à linge… Des parents gagas nous entoureraient d'un amour sans limites comme nous n'en aurions jamais connu auparavant. Le monde deviendrait merveilleux et de plus en plus douillet. Rose, bleu, blanc, doux, si doux, ouaté, lacté, liquide… Et nous ne serions plus alors qu'un désir.

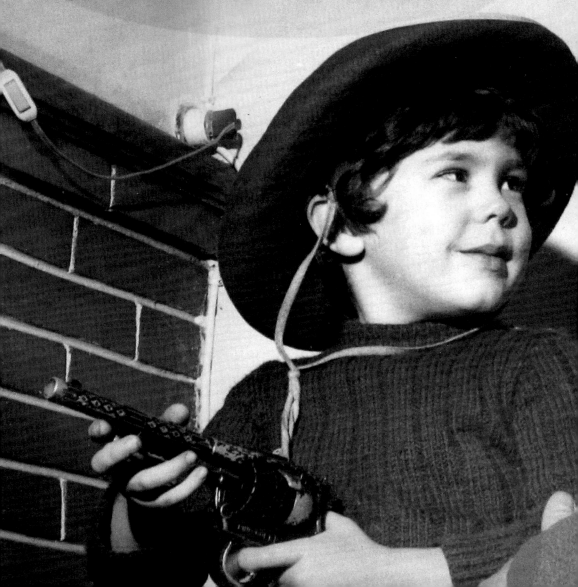

73

LES JURONS DE PAPI

*Les jurons, eux aussi, connaissent les fluctuations de la mode.
Si « ta mère » se retrouve aujourd'hui en short
sur l'autoroute ou en tongs sur Internet, à une autre époque
le blasphème suprême était celui qui parodiait les formules sacrées
de la liturgie, quitte à détourner « dieu » en « bleu ».
Il en résulte une liste finalement poétique, qu'on peut lire
comme le faisait Georges Brassens, telle une ronde euphonique
et nostalgique. À vous de cocher les exclamations que vous seriez
capables de lâcher.*

APRÈS RÉFLEXION...

… des pensées positives pour vieillir sereinement.
Soûlez-vous d'elles, l'ivresse est source de jeunesse.

Avoir des petits-enfants ne signifie pas forcément qu'on est vieux. Mais ça veut dire qu'on est marié à une grand-mère.
G. Norman Colie

Si vous voulez vivre longtemps, vivez vieux.
Erik Satie

Avec ou sans cheveux blancs, tu peux toujours être amoureux.
Goethe

Je tiens beaucoup à ma montre, c'est mon grand-père qui me l'a vendue sur son lit de mort.
Woody Allen

PETITE TYPOLOGIE DES MOUSTACHES

Si la moustache revenait à la mode, laquelle choisiriez-vous ?
Dandy et pointue comme celle d'Arsène Lupin ?
Touffue façon homme des bois dans les années 1970 ?
Ou bien très courte pendant la guerre ?
Une moustache qui faisait führer, à l'époque…

à la gauloise

à la Brassens

à la conquérante

à l'américaine

à la brosse

à la Clark Gable

à la hippie

à aiguilles

à la française

à la polonaise

à la second Empire

à la romantique

à la poilu

à la russe

à l'anglaise

à la brosse à dents

à la grognard

en crocs

en petites pointes

à la Charlot

à la Guillaume II

à la hongroise

79

LISTE DES BELLES CHOSES DÉJÀ VÉCUES

*Un point à faire par exemple le jour de son anniversaire,
sur toutes ces petites choses délicieuses
dont les années passées nous ont réjoui.*

- L'endormissement baveux à plat ventre sur le bras gauche d'une mère fondante d'amour.
- Le chaud cataplasme d'un caca dans sa couche et la certitude qu'une main bienveillante nous remettra les fesses à neuf.
- Les premiers pas tout seul, le goût nouveau de l'équilibre et les infinies perspectives qui s'offrent désormais.
- Les cadeaux amoncelés au pied d'un sapin avec son prénom inscrit sur certaines étiquettes.
- Les éclaboussures. De baignoire, de flaque, de bataille dans la mer…
- Les confidences échangées dans le noir, chacun dans son lit, avec son meilleur ami, jusqu'au sommeil.
- Les sons soudain assourdis d'une ville où il a neigé pendant la nuit.
- Un vin chaud d'avant Noël qui brûle un peu la langue.
- Du temps volé à un ordre établi : école buissonnière, entorses diverses et variées, bénignes et savoureuses.
- Une convalescence pas trop douloureuse, juste le temps de se faire dorloter sous un bon prétexte.
- Un voyage décidé à la dernière minute.
- Une sieste sensuelle à deux, comme une parenthèse dans une journée chargée.
- Un festin improvisé avec les restes d'une fête de la veille, où tout paraît encore meilleur.
- Un point final, une page tournée, un cap passé.

- Un fou rire contagieux et irraisonné.
- Un atterrissage encore embrumé de rêve, en sortant d'un cinéma, après être parti très loin le temps d'un film.
- L'apesanteur grisante, à peine teintée d'angoisse, au moment de l'envol d'un avion (en tant que passager).
- Un départ en vacances dans la nuit, du jazz en sourdine dans l'autoradio et la lueur orangée des autoroutes désertes.
- Un réveil dans les caresses.
- Un voyage en train où l'on ne fait rien d'autre que laisser ses pensées s'accrocher par lambeaux au paysage qui défile.
- La saveur jouissive de la vingt-cinquième heure, le jour du changement d'heure.
- Un retour chez soi après une longue absence, avec le plancher qui craque et cette odeur incomparable.
- L'essayage de nouveaux vêtements et l'illusion, le temps d'un instant, que *je* est un autre.
- Un coucher de soleil dans un endroit exceptionnel, ben si, même si on ne les collectionne pas en cartes postales.
- La sensation d'avoir devant soi une vie infinie où tout est encore possible.
- Le premier baiser, le premier *je t'aime*, la première nuit d'amour, etc.
- Le bruit des feuilles mortes quand on marche dedans et l'odeur de l'humus en forêt.
- L'odeur du lilas, du chèvrefeuille, du magnolia, de l'ylang-ylang, du basilic fraîchement coupé, du pot-au-feu qui mijote…

TOTAL : .... **ANNÉES DE PETITS BONHEURS**

ABRACADABRA, MAINTENANT TU SAIS PARLER ANGLAIS !

Non, les bonnes fées ne se penchent pas que sur les berceaux pour formuler des vœux, elles le font aussi sur les gâteaux d'anniversaire. Toi qui lis cette page, tu vas être gâté(e) : dès la fin de ce paragraphe, tu auras reçu le don des langues. Pschiiit ! Tu sens la poussière d'étoiles qui t'inonde ? Maintenant essaie de lire le texte ci-contre, entièrement écrit dans un anglais tiré du Harrap's, *et tu auras l'heureuse surprise de tout comprendre.*

My fiancé is an admirable entrepreneur bien-pensant,
not very avant-garde but full of joie de vivre.
He is a millionaire chargé d'affaires with
a very good reputation and a real sense of humour.
He loves my déshabillés and I love his savoir-faire. For him,
I am a femme fatale and also his muse, his protégée.
A rendez-vous with him is like paradise. At the week-end,
when we have a tête-à-tête in a restaurant, he arrives
in advance, he offers me hors-d'œuvre à la carte, entrées
du jour, desserts à la mode, petits-fours, pousse-café
and cigarettes to continue. No violence, no routine,
no disputes, no clichés, no faux pas. Only billets doux
and – surprise! – presents from luxurious boutiques,
like très chic eau de toilette from Paris.

La crème de la crème!

His portrait? He is different from other financiers I know:
elegant, superb, extravagant, unique… Noblesse oblige!
He has the physique of a cinema star.
I like his intelligence too, the truculence of his verve.
For example, his perception of art influences me.
I am his idée fixe, he is my raison d'être. We imagine
a formidable marriage…

RÉVISIONS POUR 7 À 77 ANS

Car il n'est jamais trop tard pour se coucher moins bête le soir.

D'OÙ VIENT L'EXPRESSION
« DÈS POTRON-MINET » ?
POURQUOI L'ENSEIGNE
DES BUREAUX DE TABAC EST-ELLE
UN LOSANGE ROUGE ?
POURQUOI LA MER MORTE
S'APPELLE-T-ELLE AINSI ?
POURQUOI Y A-T-IL UN PAPIER
DANS LES PETITS-SUISSES ?
POURQUOI GRELOTTE-T-ON
QUAND ON A FROID ?
**POURQUOI LES BANANES
N'ONT-ELLES PAS DE PÉPINS ?**
POURQUOI CERTAINES PLANÈTES, COMME
SATURNE, POSSÈDENT-ELLES UN ANNEAU ?
QUE SIGNIFIE « CEDEX » ?
POURQUOI PARLE-T-ON
DE FILMS « DE SÉRIE B » ?
POURQUOI LES STEAKS HACHÉS
SONT RAYÉS D'UN CÔTÉ ?

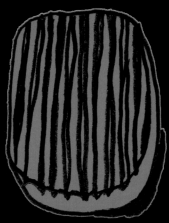

L'expression première était « dès potron-jacquet », le jacquet désignant, en langage normand, un écureuil, et « potron » venant du latin *posterio,* qui a donné « postérieur ». L'expression signifiait donc : « dès qu'on voit le derrière des écureuils », animaux réputés pour être très matinaux. Au XIXe siècle, avec l'urbanisation, les écureuils se sont faits moins courants dans les villes ; on les a remplacés par les chats.

Le losange évoque la forme sous laquelle était conditionné le tabac au XVIIe siècle : des carottes (petits rouleaux) dont on râpait les extrémités pour recueillir les feuilles de tabac.

Parce que son taux très élevé de sodium (300 g au lieu de 35 g habituellement par litre d'eau) interdit à toute plante et à tout animal d'y survivre.

Pour qu'il reste uniformément humide, le petit-lait se propageant dans le papier par capillarité, et aussi pour faciliter le démoulage.

Pour se réchauffer, comme n'importe quelle activité musculaire, sauf que celle-ci résulte d'un réflexe incontrôlé. On produit ainsi cinq fois plus de chaleur qu'en temps normal. Toutefois, le grelottement est toujours de courte durée, sinon l'effet est inverse : l'afflux de sang ainsi provoqué se rapproche de la surface du corps et risque donc d'être refroidi, à long terme, par la température extérieure.

Elles en ont, mais ce sont des tout petits points noirs qu'on ne sent pas.

Cet anneau est probablement un ancien satellite qui s'est approché trop près de la planète et qui a été brisé en millions de morceaux. C'est peut-être ce qui arriverait si la Lune heurtait la Terre.

Courrier d'Entreprise à Distribution EXceptionnelle.

A et B désignaient au cadastre les parcelles du terrain que la Fox Film Company (future 20th Century Fox) possédait à proximité de Hollywood dans les années 1920. Les films les moins coûteux étaient réalisés dans les studios du lot B, d'où l'appellation « B movies », qui fut ensuite adoptée comme référence à Hollywood.

C'est le côté sur lesquels on doit les faire cuire en premier : les rayures permettent au sang et au gras de sortir. Quand c'est chose faite, on peut retourner le steak du côté lisse. Si on commence la cuisson du côté lisse, la viande « bave ».

AGENDA D'UNE VIE

0 - 11
ANS

● ● ●

0 RDV important avec Maman
1
2
3
4
5

6
(7) âge de raison
8
9
10
11

12 - 23
ANS

● ● ●

12 penser aux cigarettes
13 PUBERTÉ
14
15
16 PENSER A DIRE MERDE
   AUX PARENTS
17

18 RDV auto-école
19
20
21
22
23

24 - 35
ANS

● ● ●

24 rdv amour de ma vie
25
26
27
28 dîner de mariage
29 CONGÉ MATERNITÉ

30 fête, acheter bière
31
32
33
34 ACHETER
35 PAIN + MAISON

36 - 47
ANS

● ● ●

36
37 penser au divorce
38
39
40 CRISE DE LA QUARANTAINE
41

42 année sabbatique
43
44
45 coupe-tifs
46
47

48 - 59
ANS

● ● ●

48
49
50 fête, acheter (vin)
51
52
53

54
55 RDV OPHTALMO
56
57
58
59 retomber amoureux

60 - 71
ANS

● ● ●

60 visite
61 médicale
62
63
64
65 Faire un break

66
67 acheter balançoire
68
69
70 RDV DENTISTE
71

72 - 83
ANS

● ● ●

72
73
74
75
-> 76 cap à passer (homme)
77

78
79
80 Thalasso
81
82
-> 83 record à battre (femme)

NOSTALGIE DU BON VIEUX VINYLE

« En mûrissant, faites comme la lavande :

ADOUCISSEZ-VOUS. »

proverbe anglais

RÉVÉLATIONS NUMÉROLOGIQUES POUR L'ANNÉE À VENIR

MODE D'EMPLOI

1 • Choisis un chiffre entre 1 et 9.
2 • Multiplie-le par 9.
3 • Si tu obtiens un nombre de deux chiffres, additionne ces deux chiffres.
4 • Retranche 5.
5 • Cherche la lettre qui correspond à ce chiffre, sachant que 1 = A, 2 = B, 3 = C, etc.
6 • Trouve dans ta tête un pays d'Europe qui commence par cette lettre.
7 • Trouve un fruit dont la première lettre est la dernière du pays trouvé.

RÉSULTATS : Si tu as trouvé…

ALLEMAGNE ET BANANE : année pourrie, dettes, rupture et licenciement.

BELGIQUE ET POMME : décès de ton chien, varices, nouveaux voisins pénibles.

CHYPRE ET FRAMBOISE : dégât des eaux, banqueroute et vacances loupées.

DANEMARK ET KIWI : amour, santé, prospérité et chance aux jeux.

ESPAGNE ET FRAISE : contrôle fiscal, divorce, tuberculose.

FINLANDE ET RAISIN : cambriolage, dépression, tremblement de terre.

GRÈCE ET ORANGE : rhume chronique, grève des transports, invasion de cafards.

HONGRIE ET FIGUE : mutation en Ukraine, fin d'une histoire, rechute de varicelle.

IRLANDE ET ANANAS : calvitie précoce, panne définitive de ta voiture, météorite dans le jardin.

AUTRE CHOSE : tu as dû faire une erreur. Vérifie que c'est bien toi qui as joué.

Kit de rimes en -our pour poéme ~~bien lourd~~ d'amour

En français, on a drôlement de la chance : autant haine rime pauvrement avec gluten, Yémen ou abdomen, ce qui nous fait une belle jambe, autant amour a cette chance inouïe de rimer avec toujours ! Pour un amoureux un peu poète, c'est une aubaine. Les rimes des deux premiers vers sont donc toutes trouvées. Mais comment continuer sur une si belle lancée ?

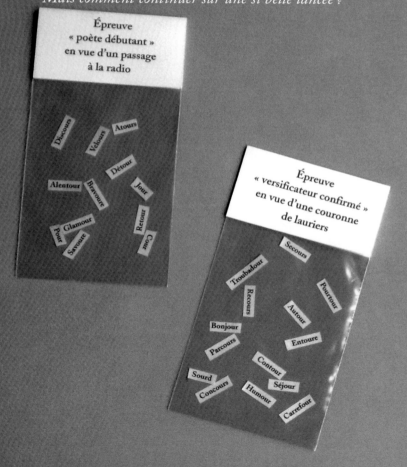

Épreuve
« poète débutant »
en vue d'un passage
à la radio

Discours · Atours · Velours · Détour · Jour · Alentour · Bravoure · Retour · Pour · Glamour · Savoure · Cour

Épreuve
« versificateur confirmé »
en vue d'une couronne
de lauriers

Secours · Troubadour · Pourtour · Recours · Autour · Bonjour · Entoure · Parcours · Contour · Sourd · Séjour · Concours · Humour · Carrefour

Ô mon amour

Je t'aimerai toujours

Malgré ton physique de Poids lourd

Ton corps si doux m'est du Velours

Tous les autres sont hors- Concours

Appelle-moi ton Petit four

Pour toi je serai Troubadour

J'arrêterai la Kronenbourg

Je ferai les courses à Carrefour

Je gagnerai le prix Goncourt

Et la bataille d' Azincourt

Je te le dirai sans Détour

Sans toi, je nage dans le Yaourt

Tu peux appeler les Secours

Rien n'y fera, le seul Retour

Auquel je ne serai pas Sourd

Sera de toi : un seul « Bonjour »

Et mes doigts ne seront plus Gourd

Ronsard l'a dit, si je ne me Goure :

« Aime-moi, nous sommes à la Bourre »

La vie avec toi, je suis Pour

Alors, pardonne ces vers Balourd

Et ce poème, un rien Anoure :

Je compte sur ton sens de l' Humour

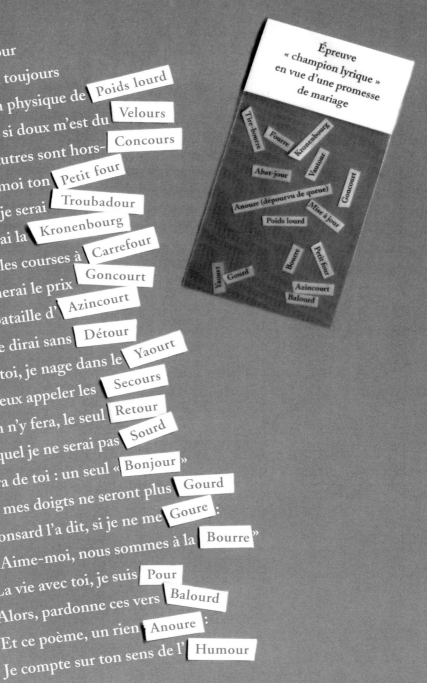

Épreuve
« champion lyrique »
en vue d'une promesse
de mariage

Tire-boume
Fourre
Kronenbourg
Abat-jour
Vautour
Goncourt
Anoure (dépourvu de queue)
Mise à jour
Poids lourd
Bourre
Petit four
Yaourt
Gourd
Azincourt
Balourd

95

Marguerite
génétiquement
modifiée

...aime je t'aime je t'aime

Les dessous chics du corps aimè

C'est bien connu : qui aime l'autre chérit aussi son corps,
jusqu'aux orteils. À tel point que naquit au XVIᵉ siècle un genre
littéraire appelé « blason » : il s'agissait de brefs poèmes célébrant
une petite partie du corps aimé, fût-ce le nombril ou le téton.
L'exercice se corse ici d'une contrainte ludique : c'est parmi les lettres
de l'organe visé (par exemple « corps ») qu'on trouvera celles
qui composent le comparant (« or »).
Parés pour une vivisection érotique à coup de plume ?

*La dernière strophe reste à écrire : il y a encore quelques beaux restes
dans ce corps dépecé (nez, bouche, cheveux, thorax, hanches, cuisses,
talons, fémurs, tibias, épaules, clavicules, foie, joues, pupilles, nuque,
poignets, doigts, esprit, peau, poitrine, etc.).*

Il y a de l'**or** dans ton **odeur**
Dans ta **gorge** et dans ton c**œur**
Dans les **organes** de tout ton **corps**
Il y a d'**Ève** dans ton **ventre**
et d'**Éros** dans tes **paroles**
Un peu de **nous** dans tes **poumons**
Un train de banlieue dans ton **regard**
Presque une idylle en un clin d'œil.

Ton **nombril** dicte ma **loi**
Ta **nudité** me fait un **nid**
Tes **tétons** donnent la **note**
Tes **reins** le **ré**, ton **dos** le **do**
Tandis qu'au **bar** de tes **baisers**
Je bois la vie de ta **salive**
En jouant à lire dans tes **sourcils**
Devine… : la courbe de ton **cul**

Tends-moi ta paume, j'y lis ton âme
Ta tête riche de ce que tu as été
Ton cerveau de ce que tu as rêvé
La vue seule de ton visage me donne vie
Même tes rides éveillent mon désir
J'aime lire le temps sur tes tempes
J'aime jusqu'à l'air qui sort de tes narines
Je couperais même l'aile de mes ongles
Afin de mieux entrer dans tes songes

Il y a de la soie dans ton sourire
Le soir s'y couche, je m'y sens roi
J'y lis un oui, et je le lis aussi,
Mais en anglais, dans tes yeux clos
Et tant de mots cachés
Jusque dans tes mollets
Ces mots qui restent sur l'estomac
Quand sous tes paupières j'imagine le pire :
Pas trace de je ni même de nous dans tes genoux
Et moi, où suis-je en toi ?
Rien à faire, je ne suis que dans ton sommeil.

Le karaokè impossible

Vous ne savez pas écrire ? Vous ne savez pas chanter ?
Mais vous avez une déclaration d'amour à faire ? Qu'à cela ne tienne,
l'époque est au zapping et aux remix. Découpez des extraits
des plus célèbres chansons d'amour, assemblez, collez : vous obtiendrez
un texte inédit de votre cru. Et bien malin qui sera capable
de le chanter. Essayez, c'est un vraie cacophonie !
Et pourtant ils sont tous là, en chœur, derrière vous (cités dans le désordre) :
Johnny Hallyday, Joe Dassin, Françoise Hardy, Daniel Lavoie, Michel
Fugain, Lucienne Boyer, Daniel Balavoine, Michel Sardou, Marie
Laforêt, Jean Ferrat, Yves Montand, Céline Dion,
Francis Cabrel, Frédéric François, Marc Lavoine, Jacques Brel…

C'est un beau roman, c'est une belle histoire.
C'est une romance d'aujourd'hui.
C'est une chanson qui nous ressemble,
Toi qui m'aimais, moi qui t'aimais

Je t'aimais, je t'aime et je t'aimerai
L'amour comme s'il en pleuvait, nus sur les galets

Y'a quelqu'un qui se moque
J'entends quelqu'un qui se moque
Se moque de moi, se moque de qui ?

Toi, mon amour, mon ami,
Quand je rêve c'est de toi, mon amour, mon ami

Que serais-je sans toi qui vins à ma rencontre ?
Que serais-je sans toi qu'un cœur au bois dormant ?

Mais si tu crois un jour que tu m'aimes
Ne crois pas que tes souvenirs me gênent
Et cours, cours jusqu'à perdre haleine

J'irai chercher ton âme dans les froids, dans les flammes
Je te jetterai des sorts pour que tu m'aimes encore

On ira où tu voudras, quand tu voudras
Ta couleur et tes mots, tout me va
Que tu vives ici où là-bas, danse avec moi

Mon cœur te dit je t'aime, il ne sait dire que ça
Je ne veux pas te perdre, j'ai trop besoin de toi.

Il est si doux, mon cher trésor, d'être un peu fou
La vie est parfois trop amère
Si l'on ne croit pas aux chimères

Elle court, elle court, la maladie d'amour
Sur le parking des anges, dans la lumière étrange,

Laisse-moi devenir l'ombre de ton ombre
L'ombre de ta main, l'ombre de ton chien

Quand l'ombre et la lumière dessinent sur ton corps
Des montagnes, des forêts et des îles au trésor
Que je t'aime, que je t'aime, que je t'aime...

Èloge
de la stèganographie

Que cache ce mot ? L'art de camoufler du sens dans un texte
(ou une image) apparemment anodin. C'est le cas de cet échange
entre Alfred de Musset et George Sand, dont le mode d'emploi
est compris dans le poème : « de mes lignes, lisez le premier mot ».
Les amants étaient assez célèbres au XIXᵉ siècle pour que des auteurs
anonymes inventent la lettre de la page suivante et l'attribuent
à George Sand – Aurore Dupin de son vrai nom.
Mais qu'importe le canular, l'exercice reste savoureux.
Il s'agit cette fois, vous l'aurez compris, de ne lire qu'une ligne sur deux.

LE MESSAGE D'ALFRED

Quand je mets à vos pieds un éternel homma[ge]
Voulez-vous qu'un instant je change de visage[ ]
Vous avez capturé les sentiments d'un cœur
Que pour vous adorer forma le Créateur.
Je vous chéris, amour, et ma plume en délire
Couche sur le papier ce que je n'ose dire.
Avec soin, de mes vers lisez les premiers mots
Vous saurez quel remède apporter à mes maux.

LA RÉPONSE DE GEORGE

Cette indigne faveur que votre esprit réclame
Nuit à mes sentiments et répugne à mon âme

Cher ami,

Je suis très émue de vous dire que j'ai
bien compris l'autre soir que vous aviez
toujours une envie folle de me faire
danser. Je garde le souvenir de votre
baiser et je voudrais bien que ce soit
là une preuve que je puisse être aimée
par vous. Je suis prête à vous montrer mon
affection toute désintéressée et sans calcul, et si vous voulez me voir aussi
vous dévoiler sans artifice mon âme
toute nue, venez me faire une visite.
Nous causerons en amis, franchement.
Je vous prouverai que je suis la femme
sincère, capable de vous offrir l'affection
la plus profonde comme la plus étroite
en amitié, en un mot la meilleure épouse
dont vous puissiez rêver, puisque votre
âme est libre. Pensez que l'abandon où femme
vit est bien long, bien dur et souvent bien
insupportable. Mon chagrin est trop
gros. Accourez bien vite et venez me le
faire oublier. À vous je veux me sou-
mettre entièrement.

Votre poupée

Extrait du Kama Sutra

On a fait du Kāma Sūtra un recueil de positions érotiques tarabustées, alors que c'est à l'origine un livre sur l'amour plein de bon sens, destiné à compléter l'enseignement des jeunes gens. Compilé par Vatsyayana entre le IVᵉ et le VIᵉ siècle à partir de textes vieux d'un millénaire, cet ouvrage témoigne d'une sagesse séculaire qui n'a pas pris une ride. Vous qui êtes du XXIᵉ siècle, que vous ayez 7 ou 77 ans, que vos références culturelles soient plutôt Bergman et Truffaut ou «Hélène et les garçons», faites le test en cochant les remarques que vous jugez pertinentes… Troublante, la constance amoureuse par-delà les siècles et les cultures, non ?

Signes extérieurs d'amour chez une femme

- Elle ne regarde jamais l'homme en face et rougit lorsqu'il la regarde.
- Elle trouve toujours un prétexte pour lui faire voir ses membres.
- Elle le regarde secrètement lorsqu'il s'éloigne d'elle.
- Elle bafouille quand elle répond à ses questions et regrette ses paroles.
- Elle ne voit pas le temps passer quand elle est en sa compagnie.
- Lorsqu'il se trouve à une certaine distance, elle parle à ses amies sur un ton particulier dans l'espoir d'attirer son attention.
- Elle trouve des prétextes pour lui montrer différentes choses au lieu de l'interpeller directement.
- Elle s'arrange pour faire durer leurs conversations le plus longtemps possible.
- Elle prodigue devant lui des gestes de tendresse à quelqu'un d'autorisé, comme un enfant.

- Elle soigne son maquillage et ses ornements.
- Elle exécute des mouvements vifs et gracieux lorsque des amies lui parlent en présence de son amoureux.
- Elle se confie aux amis de son amoureux et s'intéresse à eux.
- Elle écoute attentivement ceux qui parlent de son amoureux.
- Elle accepte toutes les invitations de tiers qui pourraient permettre de rencontrer son amoureux.
- Elle évite d'être vue par son amoureux quand elle n'est pas habillée et parée.
- Elle lui envoie des petits souvenirs d'elle par l'entremise d'une alliée.
- Elle porte continuellement un objet qui lui a appartenu ou qu'il lui a offert.
- Elle montre de la tristesse quand ses parents lui parlent d'un autre prétendant.

Quand l'amour se fait lourd

Tu es belle comme un soleil ; quand je te regarde, je bronze.

Tu embrassez des inconnus ? Non ? Alors, je me présente.

Ça t'a fait mal ? Quoi ? Eh bien, quand tu es tombée du ciel !

Est-ce que vous embrassez Ça te dirait d'aller chez toi ?

Tu as de très jolies jambes. À quelle heure elles ouvrent ?

Excuse-moi, mais mon téléphone portable a flashé sur le tien et voudrait son numéro.

Tes pieds doivent sûrement te faire mal, parce que tu t'es promenée dans mes rêves toute la nuit.

C'est une échelle sur tes bas ou bien l'escalier vers le paradis ?

Tes parents sont des terroristes, ils ont fait une bombe.

Quelques idées
de prénoms
pour changer d'Enzo et Emma

*Il viendra bien un moment où votre enfant vous reprochera de lui
avoir choisi un prénom trop commun, trop original, difficile à porter
ou à prononcer, qui ne s'accorde pas du tout avec son nom de famille...
Bref, avant que votre enfant n'entame une grève de la faim ou
des démarches administratives pour se faire rebaptiser comme
le chanteur du nouveau groupe finlandais en vogue, montrez-lui
LA liste des prénoms auxquels il a échappé.
Tous ont été réellement donnés par des parents
(et certains refusés par l'état civil).*

Soupline et Bajoline

Bruce-L

Septime

Vulcan

Danone

Rhoriel

Elle

Goldorak

Pamphyllia

Dieu – Merci

Euphrasie

Pétunia

Théa

Barbe Israëlie

...erman

... et Pokémon

...ratule Batman

Zaza

Scolastique

...elle

...érique Créphine

...thème Koï

Polycarpe Gaston et Polux

Pistachou

...guineridant

Misère Max

Crofesina Max

Chanel

Céleitoine

Chorgal Avrey

Gargienne Pâquerette

Chandelle (masc) Persil

L'Oréal

Electris

Mayuvay

Pomme

Halloween

Déciclobelle

Platon

Boulangère

Gatrotte et Strastasie

Rido Bossine

Gedsby

Lovely

Clivone

Koune

Bulle

nerda-princesse

Dior

Pilula

Tipi

Eulbert

Pamplemousse

Clafoutis

Nelle – Coccinelle

Belzébuth

Fourchette

Pacifique

Germinal

Barbille

Perle et Idem

Nemo

Cudlald

Choses que l'on peut faire
avec un bébé dans les bras

- **M**ixer une soupe *mais pas éplucher les légumes*
- **F**ermer les rideaux *mais pas dérouler un store*
- **F**aire pipi *mais pas remonter sa braguette*
- **D**iscuter au téléphone *mais jusqu'à un certain point seulement*
- **R**épondre à des mails brefs *en tapant avec une seule main*
- **V**ider le lave-vaisselle *mais pas la laver*
- **T**enir aussi un autre bébé dans les bras *mais pas longtemps*
- **É**tendre des chaussettes sur le séchoir *mais pas le reste de la machine*
- **M**ettre ses lunettes *mais pas ses lentilles*
- **F**aire de la mise en page sur l'ordinateur *mais renoncer aux fonctions clavier + souris en même temps*
- **É**crire sur un bloc-notes *mais pas sur une feuille volante qui dérape*
- **S**e couper les ongles *mais pas s'attacher les cheveux*
- **L**ancer une impression *mais pas découper une carte au trésor en forme de parchemin pour l'anniversaire du grand*
- **L**ancer le linge sale dans le bac à linge sale *mais pas plier le propre*
- **S**ervir l'apéro *mais pas ouvrir le sachet de cacahuètes sous vide*
- **F**aire des photos floues *mais pas des nettes*
- **M**ettre un CD *mais pas un 33 tours*
- **O**uvrir la porte *mais pas chercher sa clef au fond de son sac*
- **D**anser *mais pas à deux, enfin si, avec lui*

Quand j'étais petit(e), je croyais…

Difficile de deviner ce qui se passe sous le scalp de nos chères têtes blondes. Par quels détours des synapses arrive-t-on à se faire une image du réel ? Qu'invente-t-on pour s'expliquer le monde avant d'en avoir acquis les concepts fondateurs ? Un mystère impénétrable dont il ne nous reste, à l'âge adulte, que quelques bribes.

que si les radiateurs faisaient du bruit, c'est parce que des **petits lutins** à l'intérieur tapaient dessus **pour les réchauffer.**

que si je parvenais à me coucher avec un parapluie ouvert, je parviendrais à ne pas me faire avoir par le marchand de sable (mais ça n'a jamais marché).

que, dans une voiture, la vitesse la plus grande était le point mort, parce qu'à rou aussi vite que ça, on risquait de mourir.

que les *céréales killers* étaient les moins dangereux des assassins, parce qu'ils ne s'en prenaient pas aux humains.

que les nuages étaient fabriqués par des usines et sortaient de leurs grandes cheminées.

qu'on pouvait vraiment mourir de rire à cause des chatouilles.

que c'était vrai que mon père était capable de *passer entre les gouttes.*

que les dames devaient porter des couches parce qu'elles faisaient du **pipi bleu.**

que ma mère avait pour de vrai **des yeux derrière la tête, sous ses cheveux.**

que les prêtres disaient « prenez et buvez **en douce,** car ceci est mon sang… », et hop ! ils se mettaient le vin derrière la cravate en catimini.

.que, si je faisais **pipi** dans la piscine, l'eau allait devenir toute rouge.

que les personnages des films mouraient pour de vrai, et qu'on engageait donc des condamnés à mort.

que si j'avalais des **pépins** de pomme, un pommier allait pousser dans mon **ventre.**

que *Perdralen,* c'était une ville bretonne où on allait pour faire l'**amour,** à cause de la chanson de Sardou «*faire l'amour à perdre haleine*».

que les animaux savaient parler comme nous, comme dans les dessins animés, mais qu'ils refusaient de le faire devant nous (alors je torturais mon caniche pour qu'il crache le morceau).

qu'avant les années 1960, **le monde était en noir et blanc.**

que les bougies étaient faites avec de **la cire d'oreilles.**

que le contraire d'un temps pluvieux, c'était un temps plus jeune.

que le nombril, c'était le bouton sur lequel on appuyait pour faire sortir les bébés.

que c'étaient les clignotants qui indiquaient à la voiture le chemin à suivre, vu qu'ils s'allumaient **avant** qu'on ne tourne le volant.

que les grands-pères de nos grands-pères étaient des **singes.**

que, quand on disait qu'on **« faisait le pont »,** ça voulait dire qu'on était dispensé d'aller sur son lieu de travail habituel pour aller tous ensemble **construire un pont d'intérêt public,** et j'avais un peu honte de voir mes parents se défiler et passer ce jour-là affalés dans le canapé.

que les Carrefour étaient des magasins **très** dangereux où il y avait beaucoup d'accidents (de carrefour).

113

Le test de grossesse imparable

Quelque chose me dit que vous n'avez pas procédé ainsi…
Sachez pourtant que ce test a été en usage pendant plusieurs siècles.
Forcément : on croyait que tous les organes de la femme communi-
quaient (les hystériques étant étymologiquement celles dont les maux
utérins étaient montés à la tête). Quant à la « petite graine »,
elle a longtemps été considérée comme provenant exclusivement du père.
Pour Aristote, par exemple, le sperme est « une goutte de cerveau qui
descend le long des oreilles puis s'achemine vers les testicules via le canal
de la moelle épinière ». C'est lui seul qui produit l'enfant, et toujours
un mâle. Toutefois, si survient un élément perturbateur dans
le développement du fœtus, celui-ci devient une fille…

Placez une **gousse d'ail** dans le **vagin de madame**. Le lendemain, si son haleine sent l'ail, c'est qu'elle n'est pas enceinte. En revanche, si elle ne sent pas, c'est qu'il y a un obstacle entre son ventre et sa bouche, et cet obstacle ne peut être qu'un **bébé** ! *

* En cas de doute, consultez un **« mireur d'urine »** (profession reconnue), qui saura déterminer si celle-ci, dans une carafe, a une couleur « bien cuite ».

êtes - vous

enceinte ?

115

Comment composer des Chansons pour votre bébé

Comment donc ? Votre bébé en a ras la casquette de Dodo, l'enfant do *et les petites marionnettes ont déjà fait trente petits tours avant de s'en aller bredouille ? Pour renouveler votre répertoire, une solution facile : prenez un air de variété connu et racontez tout ce qui vous passe par la tête. Témoignage de maman : ça marche !*

Exemples à chantonner sans complexes

Sur l'air de *Le Lundi au soleil*, de Claude François

C'est l'heure, on se réveille
Ne pleure pas, je chauff' ton biberon
Une minut', s'il te plaît
J'te promets, il sera prêt bientôt
J'te promets qu'il va être bien chaud
Qu'il va être bon, ce bib'ron
Un bib'ron au soleil !

Sur l'air de *Un beau roman*, de Michel Fugain

C'est un beau bébé, c'est une belle journée
Qui finit maint'nant, et hop ! au lit
Il ira dormir, là-haut, dans son berceau
Maman descendra dans la cuisine
Il n' va pas pleurer, oh non, pas du-u tou-ou-ou
Il va fermer ses petits yeu-eux
Il va dormir un petit peu-eu
Il a son doudou à portée de main
Un cadeau de la tante Hortense
Dors, mon chou,
on se reverra demain.

Sur l'air de *L'Amérique*,
de Joe Dassin

Ton bib'ron-on, ton bib'ron-on
Tu veux l'avoir et tu l'auras
Ton bib'ron-on, ton bib'ron-on
Si c'est ton rêve, eh bien tu l'auras
Je verse du lait en poudre, regarde
comme je suis fortiche
Je le secoue un peu et maintenant
c'est à toi, ma bi-iche
Ton bib'ron-on !

Sur l'air de *Je l'aime à mourir*,
de Francis Cabrel

Tu vas fermer tes yeux, mon bidou, mon chéri
Tu vas fermer la bouche, je te mets dans ton lit
C'est l'heure de dormir
Vois, la nuit est tombée, il fait tout noir partout
Moi aussi j'suis claqué(e), je ne tiens plus debout
C'est l'heure de dormir
C'est l'heure de dormir…

Sur l'air de *Ella,
elle l'a*, de France Gall

Elle a, elle a
Ce joli minois
Ce je ne sais quoi
Qui nous met
dans un drôle d'état
Ma p'tite fille à moi
Elle l'a, elle l'a
Tape sur ton doudou, sur ton papa
Sur tout ce que tu peux te mettre
sous les mains
Montre ton rire et ton
chagrin…

117

Le matos spécial bébé

Pour planter la petite graine, l'amour et l'eau fraîche suffisent.
Mais pour l'élever…

Fiches de révisions sur Le Petit Nicolas

*Qui n'a jamais eu dans sa classe un Nicolas (ou même deux) ?
Mais le petit Nicolas, c'est autre chose, c'est l'emblème de l'élève
par excellence et un élève qui en a fait rire bien d'autres avec ses
aventures « rien chouettes ». Né en 1954 d'un père dessinateur
humoristique (Jean-Jacques Sempé) et d'un journaliste touche
à tout (René Goscinny), c'est le Harry Potter de son époque,
un demi-siècle avant la création de l'école de Poudlard…*

- Geoffroy
celui qui a un papa très riche
- signe particulier : aime se
déguiser pour aller à l'école
(y compris en martien pour
- la photo de classe)
citation : "Je ne peux pas
être le prisonnier, je suis
le mieux habillé de tous ! "

- Joachim
celui qui a un vélo
- signe particulier : s'entraîne pour le Tour
de France qu'il fera quand il sera grand
- citation : "T'en fais pas, je prends le
vélo et je rattrape l'auto ! "

- Nicolas
élève turbulent, souvent distrait et néanmoins héros de l'histoire
- signe particulier : a rasé à moitié son ours
en peluche avec le rasoir de son papa
- citation : "Quand je serai grand, je m'achèterai
une classe rien que pour jouer dedans."

- Rufus
fils de l'agent de police
- signe particulier :
joue avec son sifflet
à roulette en classe
- citation : "Dites,
les gars, si c'est
pour se battre
et pour faire les
guignols, ce n'est
pas la peine de ve-
nir dans le terrain
vague ; on peut
très bien faire ça
à l'école."

- Agnan
premier de la classe et chouchou de la maîtresse
- signe particulier : on ne peut pas
le taper car il porte des lunettes
et il pleure facilement en hurlant
que son papa se plaindra au ministre
et que sa maman fera mettre tout
le monde en prison
- citation : "J'ai des lunettes ! J'ai des
lunettes !"

- Maixent

élève reconnaissable à ses longues jambes

- signe particulier : triche aux billes pour obtenir la bleue et tente d'épater ses amis avec des tours de magie, sans succès
- citation : « Même si je voulais, je n'aurais pas le droit de sortir un pigeon de la casserole ; ma maman ne veut pas que j'aie des animaux à la maison. »

- Clotaire

le dernier de la classe

- signe particulier : n'a jamais de récréation quand il est interrogé, mais il est le seul à avoir une télévision
- citation : « Le docteur a dit à mes parents que si j'étais dernier, c'était peut-être parce que je ne voyais pas bien en classe. Le monsieur des lunettes m'a regardé les yeux avec une machine qui ne fait pas mal (...) et maintenant, bing ! Je ne serai plus dernier. »

- Le bouillon

alias le surveillant général

- signe particulier : tient son surnom de son exigence qu'on le regarde dans les yeux (et dans le bouillon, il y a des yeux)
- citation : « Vous allez me conjuguer le verbe "je ne dois pas être grossier envers un camarade qui est chargé de me surveiller et qui veut me faire faire des problèmes d'arithmétique." »

- Alceste

Serait le premier de la classe s'il mettait autant d'énergie au travail qu'à se nourrir

- signe particulier : mange en permanence et ressemble à un gros poulet quand il est déguisé en Indien
- citation : « Dites, j'ai pas envie d'être en retard pour le goûter. On joue ? »

- Eudes

élève dissipé, se bat avec ses camarades

- signe particulier : donne des coups de poing sur le nez
- citation : « Je suis le plus fort, je dois être le capitaine et je donnerai un coup de poing sur le nez de celui qui n'est pas d'accord ! »

- La maîtresse

enseignante gentille mais souvent fatiguée, aimée de ses élèves quand elle n'est pas en colère

- signe particulier : pousse de gros soupirs et fait les gros yeux
- citation : « Écoute Agnan, si tu es sage, je te promets de t'interroger en arithmé-tique. »

- Le directeur

intervient peu

- signe particulier : a préféré enfermer les enfants dans la buanderie quand le ministre est venu en visite
- citation : « Je tiens à ce que Monsieur Le Ministre reçoive ici un accueil inoubliable, je compte sur vous pour m'aider dans ce but. »

La nouvelle édition du Bescherelle

*Depuis des siècles, des instituteurs s'arrachent
les cheveux pour faire entrer dans le crâne de leurs chères
têtes blondes (et même des brunes, paraît-il)
les règles élémentaires de grammaire et de conjugaison.
Alors qu'il y aurait beaucoup plus simple pour éviter
ces calvities précoces : faire entrer dans le crâne
des maîtres les règles des enfants !*

CONJUGAISON

■ LE VERBE YALLER

ne se conjugue qu'au passé composé :
- je suis **yallé**
- tu es **yallé**
- il est **yallé**
- nous avons **yallé**
- vous avez **yallé**
- ils sont **yallés**

au futur simplifié :
- je vais **yaller**
- tu vas **yaller**…

et éventuellement au conditionnel :
- si tu serais **yallé**…

■ LA CONJONCTION « OUF QUE »

est toujours suivie de l'indicatif.
Exemple :
Ouf que j'ai pris mon doudou, parce que c'est un film qui fait cré peur.

■ TOUTES LES PHRASES COMMENÇANT PAR « IL FAUT »

ont le droit de se terminer par ce qu'on veut, sauf par une bêtise.
Exemple :
- Il faut qu'ils **refont** la route.
- Il faut qu'ils **refonssent** la route.
- Il faut qu'ils **refaissent** la route.
- Il faut qu'ils **refouassent** la route.

Mais on ne dit pas :
- Il faut qu'ils **défoncent** la route.

■ LES PHRASES COMMENÇANT PAR « SI »

sont toujours suivies du conditionnel.
Exemples :
- Si je **serais** Zorro…
- Si j'**irais** plus à l'école…
- Si tu me **ferais** des guilis…

■ LE PARTICIPE PASSÉ

est un verbe auquel on a coupé la queue pour y mettre n'importe quoi d'autre pourvu que ça finisse autrement. La terminaison est donc au choix de chacun, et tout le monde comprend très bien.
Exemples :
- Ça a **prendu** du temps.
- Il l'a bien **tené** entre ses mains.
- Je l'ai **li** dans un livre que Mamie m'a **offri**.
- Ça m'a **plaisé** beaucoup.
- Il a **vivé** longtemps avant d'être **mouru**.
- Le frigo est resté **ouvri**.

■ LE PASSÉ SIMPLE

est réservé, à l'oral, aux jeux en solitaire avec des figurines de chevaliers pendant lesquels on se raconte des histoires tout haut en oubliant le reste du monde. On peut donc le conjuguer comme on veut, puisque personne n'écoute.
Exemple :
C'est alors que le dragon **fesa** demi-tour et **crachu** du feu sur le chevalier, qui **prena** la fuite aussitôt, mais quand il s'en **renda** compte, c'était trop tard, il n'**arrivit** plus à **tiendre** son cheval et il **moura** comme ça : aaaaargh ! (+ mimes)

■ L'INFINITIF

se compose grosso modo en ajoutant soit -ER soit -DRE à la première personne du présent de l'indicatif.
Exemples :
- **mourer, parter, courer, éter, sourier, atchoumer…**
- **viendre, tiendre, croidre…**
Exception : s'assir.

■ LA CONJUGAISON NE SE LIMITE PAS AUX VERBES,

elle peut s'appliquer aux expressions entières.
Exemples :
- T'**aquavais** faire ça !
- Tu ne me **fais** pas **licite** alors que j'ai tout bon ?

Travail manuel :
inventer un puzzle comme Escher

*Une expérience de l'infini fascinante à réaliser
à tout âge. On apprend à inventer une forme de pièce telle que,
une fois répétée, elle s'emboîtera dans ses jumelles.*

On commence
par tracer un carré, puis
on trace des droites
qui rejoignent
les angles opposés.

On déforme comme
on veut la ligne
horizontale supérieure
par un nouveau tracé,
du moment que
celui-ci ne déborde pas
de la zone grise.

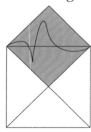

Idem sur les côtés, en
tournant le tracé de 90°.

On duplique
en miroir le triangle
du haut afin d'obtenir
cette zone grisée,
qui sera celle dans
laquelle on va travailler.

On reproduit très
exactement ce tracé
sur la ligne du bas.

Il ne reste plus qu'à
découper la forme
obtenue et à la
dupliquer.
Quelle que soit la
complexité de la forme,
elle s'emboîtera
toujours dans ses
voisines : il n'y a plus
qu'à les décorer.

125

Devinettes étymologiques

Quel est le rapport entre un… et un… ?
Voilà un modèle de devinette qui permet les associations
les plus loufoques. Qui n'a jamais joué à cela
dans la cour de la récré ? Sauf que les réponses sont souvent
tout aussi loufoques, alors que le jeu ci-après, lui,
est parfaitement sérieux et les réponses véridiques.

Quel est le rapport entre…

lauréat et laurier ?

Le premier était autrefois couronné
de laurier, et même de baies
de laurier, d'où le mot « baccalauréat ».

chair et charcutier ?

Le charcutier est tout simplement
celui qui vend de la chair cuite,
par opposition au boucher.

caillou et calcul ?

Ils viennent du même mot latin,
calculus, désignant les petits cailloux
qui servaient autrefois à compter
(on retrouve ce sens minéral
dans les calculs rénaux).

la pupille de l'œil et celle de la nation ?

Si l'on sait que le latin *pupilla*
désigne une petite fille, on comprend
le sens d'orphelin. Mais la pupille
de l'œil ? Le mot vient de la petite
image que reflète l'œil quand
on se voit dedans…

singulier et sanglier ?

On appelait autrefois le sanglier « porc solitaire » (singulier au sens de seul), par opposition aux porcs d'élevage.

sel et salaire ?

Le *salarium* des soldats correspondait à l'origine à la solde qu'on leur donnait pour s'acheter du sel, tout le reste leur étant fourni.

album et albinos ?

Tous deux viennent du latin *albus,* « blanc ».

canicule et canin ?

Canicule vient du latin *canicula,* « petite chienne », par allusion à l'étoile de Sirius que l'on voit apparaître au solstice d'été.

coccyx et coucou ?

Ils viennent tous deux du mot grec *kokkux,* désignant l'oiseau, et si l'os porte aussi ce nom, c'est parce que sa forme évoque le bec du coucou.

étonné et tonnerre ?

Le premier signifie littéralement « comme frappé par le tonnerre ».

niais et nid ?

Le premier, étymologiquement, a été pris trop jeune, encore au nid.

requin et requiem ?

Un requiem est une prière pour les morts, du même mot latin signifiant « repos ». Selon une hypothèse étymologique, le requin incarnerait cette menace pour l'homme de repos éternel.

127

Et ton papa, il fait quoi comme métier ?

*C'est la question classique qu'on pose aux enfants à l'école,
quand ils remplissent leur petite fiche de début d'année,
à côté de « Combien as-tu de frères et sœurs ? »
et « Qu'est-ce que tu veux faire plus tard ? ». Si vous aviez eu
ces enfants-là comme camarades de classe, voilà ce qu'ils auraient
écrit. Le seul commentaire possible est le suivant : « Et alors ? ».
Ça laisse de l'espoir dans le libre-arbitre
et la non-prédestination.*

MÉDECIN — Michel Boujenah

pianiste de bar — Serge Gainsbourg

coiffeur — Serge Reggiani

ADMINISTRATEUR D'HOSPICE — Honoré de Balzac

TAILLEUR DE PIERRE — Mireille Matthieu

général — Victor Hugo

TÔLIER ET SAPEUR-POMPIER — Gérard Depardieu

AVOCAT — Sabine Azéma

SCULPTEUR — Jean-Paul Belmondo

hôtelier

CHIRURGIEN — Gustave Flaubert

violoniste — Michel Piccoli

HAUT FONCTIONNAIRE À L'UNESCO — Julien Clerc

MILITAIRE — Jean-Paul Sartre

Premier ministre de la seconde république espagnole — Maria Casarès

directeur du casino de Monaco — Léo Ferré

INDUSTRIEL AU MEXIQUE — Arielle Dombasle

VENDEUR DE CHAUSSURES — Patrick Timsit

Jeanne Moreau

ingénieur

Émile Zola

CONCEPTEUR D'AVIONS

Philippe Starck

PHILOSOPHE

Jeanne Balibar

EMPLOYÉ DE BANQUE

Thomas Fersen

MARCHAND DE LAINE

Sigmund Freud

PREMIER VIOLON À L'OPÉRA DU CAIRE

Dalida

notaire

Charles Trenet

TENANCIER DE CAFÉ

ouvrier dans une aciérie

TENANCIER D'UNE CONFISERIE

COMMANDANT DANS LA ROYAL NAVY

Jane Birkin

PEINTRE EN BÂTIMENT

Coluche

MINEUR DE FOND

contrôleur du trafic sur le canal de Suez

Claude François

Chanteur d'opérette

Daniel Auteuil

DENTISTE

Sheila

James Dean

Michael Jackson

VÉTÉRINAIRE

Jean Marais

SUPERVISEUR À CHEVAL DES TRAVAUX DES CHAMPS

Bob Marley

Chauffeur routier

Sophie Marceau

Chanteur d'opéra

Claude Nougaro

GYNÉCOLOGUE

Julio Iglesias

EXPERT-COMPTABLE

officier de cavalerie

Fanny Ardant

CORDONNIER

ouvrier

Francis Cabrel

Jean Gabin

ASSUREUR

diplomate à l'ONU

Christophe Lambert

directeur d'un cinéma de quartier

Alain Delon

vinaigrier

professeur de lettres et d'histoire

Charles de Gaulle

capitaine d'armée

Arthur Rimbaud

François Mitterrand

Raymond Devos

Patricia Kaas

George Méliès

Yves Duteil

129

La photo de classe improbable

Quand on la retrouve, trente ans après,
on pousse des cris en redécouvrant
les bouilles et les dégaines oubliées,
on joue à remettre un nom sur les visages.
La photo de cette page a été « légèrement »
truquée. Disons que ce serait une classe
à niveaux multiples, comme on en voit
dans les campagnes, d'où les différences
d'âge. L'intérêt, c'est que, quand
on y regarde de près, on est capable
de retrouver tous les noms.
Si, si, cherchez bien, c'était
une promo mémorable…

133

Les départements oubliés

Ils sonnent familiers. Et pourtant, bien malin qui saura les placer exactement sur une carte de géographie...

La deuxième-Manche

L'Ivre-et-Vilaine

Le Finistère-de-L'Intérieur

Le Cher-et-Tendre

Les Charentaises-Maritimes

La Bonne-Mayenne

La Poire-Atlantique

La Vendée-Cher

La Mièvre-et-Vilaine

Les Girondes-Orientales

La Lotte-et-Baronne

L'Allier-d'Outre-Mer

Les Nomanes-Landes

L'Ariège-Garde

Les Bouche-Orientales

Le Gard-du-Nord

La Grosse-Somme

Le Bas-des-Reins

Le Pas-de-Palais

La Meurtre-et-Oseille

L'Eure-et-Grave

'Eure-Chère

L'Essonne-Le-Glas

Les Yvelines-sur-Yvette

Le Jura-sur-sa-Mer

La Saine-et-Morne

Les Vosges-Las

L'Yonne-Négative

L'Ain-et-Puy-L'autre

La Sarthe-et-Beauvoir

L'Ingres-et-Loire

L'Ain-de-Troyes

Le Loiret-sur-le-Côté

La Savoie-Royale

La Savoie-de-Marseille

La Haute-Vienne-que-Pourra

Les Deux-Mièvres

L'Isère-de-Misère

La Drôme-de-Dame

L'Ardèche-Totale

Le Var-Clair

Le Tarn-aux-Pommes

Les Deux-Eure-et-Gard

Les Agapes-Maritimes

Les Bouches-du-Môme

DOM TOM
Mayotte-Bains
Bleu-Outre-Mer
Paris-et-Futuna
Martinique-on-the-Rocks

135

Un maître/une maîtresse, qu'est-ce que c'est ?
témoignages

1. Quelqu'un d'extraordinaire

« Une année, j'ai eu un petit qui n'arrivait pas à dire «maîtresse». Toute l'année, il m'a appelée «princesse» ! »

Monique

2. Quelqu'un comme eux

« J'étais en petite section et je suis arrivée un jour après avoir changé de coiffure : j'étais allée chez le coiffeur la veille, après l'école. Commentaire de Clara :
– Elle t'a bien coiffée ta maman, ce matin, maîtresse ! »

Chantal

« Alexandre admire mes chaussures. Je frime un peu et je lui dis que je les ai achetées aux États-Unis pour aller marcher dans le Grand Canyon. Il me demande à quand ça remonte. Réponse : trois ans. Il s'exclame alors : «Et elles te vont encore !?» »

Isabelle

3. En même temps, quelqu'un de très très vieux

« J'avais des CE1, je n'en étais qu'au milieu de ma carrière environ. On parlait de la préhistoire et un élève me demande très sérieusement :
– Et toi, maître, quand tu étais petit, tu les as connus, les dinosaures ? »

Paul

4. Finalement, quelqu'un qui n'a pas d'âge

« Quand les élèves me demandent quel est mon âge, je leur réponds, et parfois il arrive que ce soit le même que celui de leurs parents. Ils n'en reviennent pas. Plus jeune, plus vieille, ils ne savent pas de quoi j'ai l'air. Mais quelque chose de commun avec leurs parents, ça, non ! »

Juliette

5. Quelqu'un qui n'existe pas en dehors de l'école

« Quand il m'arrive de croiser les enfants ailleurs, par exemple dans un magasin, ils n'en reviennent pas, ils me regardent comme une apparition : « Regarde ! C'est Pierre ! » Même les parents ont l'air de suffoquer, parfois, parce que j'achète comme eux du salami. »

Pierre

6. Quelqu'un qu'on a envie de respecter

« Je travaille à mi-temps dans une école où le vouvoiement est de mise. Je propose aux élèves de faire comme ils veulent, et la grande majorité me tutoient. Nous en discutons un jour en classe et, à ma grande surprise, ils me disent qu'ils préféreraient me vouvoyer comme leur autre maîtresse, car, disent-ils, il leur est plus difficile de m'obéir et de me respecter à cause du tutoiement. Le plus étrange, c'est que ma collègue se plaint souvent de leur insolence. Moi, je n'ai pas eu d'enfant insolent dans cette classe… »

Laurence

Les perles des parents

J'ai donné à mon fils une punition bien mérité, voudrais–vous la signé comme ça, ça lui fera les pieds.

Je refuse de vous payer l'assurance scolaire pour les petits car moi j'élève mes enfants à la dure et si ils leurs arrivent quelque chose c'est comme ça qu'ils apprendront que la vie c'est pas une partie de plaisir.

Il paraît que vous dites à mon fils que c'est un crétin. Je vous rappelle que c'est mon fils.

Les calculettes c'est des inventions de feignants qui ne savent même plus compter leurs tables de multiplication sur les doigts.

Si Éric a écrit « beaux vins » au lieu de « bovins » dans la dictée, remarquez d'abord qu'il l'a écrit sans faire de faute, ce qui est normal puisque son oncle est viticulteur dans le midi.

Mon fils n'est pas un menteur et je préfere croire ses mensonges à lui que les vôtres !

Ses notes à Bernard descende tout les mois. C'est vous qui devené plus sévère ou c'est lui qui deviens paresseux. Dites le nous pour qu'on ces vice vite.

Si vous continuez à harcelez mon fils, j'irai expliquer au ministre de la culture qui vous êtes vraiment !

Vous employez toujours des grands mots ronflants, éducation physique par exemple, alors que c'est jamais que de la gym...

Résultat :

Les perles de l'administration scolaire

Sur les 125 candidats reçus au baccalauréat, 49 ont été recalés.

Les noms des élèves commençant par A, B, C, D, E et F seront donc classés de A à Z.

L'escalier A est réservé aux filles, l'escalier B aux garçons, l'escalier C à tous les autres.

Les élèves de sexe masculin sont invités à ne pas en changer avant la fin de l'année.

La réunion du Conseil de classe prévue ce matin est reportée à lundi prochain, 21 mars, à 9 h. La date et l'heure de cette réunion n'ont pas encore été fixées.

Les cours d'anglais auront lieu désormais en allemand.

Les examens se dérouleront comme prévu à une date encore indéterminée.

En cas d'incendie, ne pas paniquer et écrire au proviseur qui prendra les mesures nécessaires.

Les horaires de sortie sont dorénavant réglementés, chaque élève ne pouvant quitter l'établissement que s'il y est entré.

La disparition tragique et soudaine de M. le proviseur a contraint les responsables de l'établissement à annuler in extremis le pot organisé pour fêter son départ.

un partout !

KiTTYWigs

Eh oui, des perruques pour chattes, ça existe !
La société qui les commercialise est basée à Dallas — ça ne
s'invente pas. Et à quoi ça sert ? À rien, juste au plaisir de faire
des photos. Et après tout, pourquoi pas ? Pour passer commande,
rendez-vous sur le site www.kittywigs.com.

141

Les chats sont partout
ou les surprises de l'étymologie

On sait que les chats font beaucoup de petits, et que ces petits prennent vite leur indépendance. Eh bien, dans l'histoire de la langue, c'est pareil : les dérivés du chat se cachent parfois dans des mots surprenants, où ils se font oublier en tant que tels.

chatoyer

Câlin ADJ. Caressant, doucereux. Certains l'ont fait dériver du chat ; on aimerait bien les croire. D'autres y voient la caresse de la chaleur estivale (en latin *calina*)… qu'un chat ne désavouerait pas.

Chafouin ADJ. D'apparence sournoise. En effet, qui n'aurait pas une mine louche s'il était, comme ce mot, un croisement entre la fouine et le chat ?

Chagrin ADJ. Triste. (Le nom commun est apparu plus tard.) De chat et de grigner, qui signifiait à l'origine plisser des lèvres et montrer des dents, et qui ne s'emploie plus aujourd'hui qu'en couture, au sens de froncer. La personne chagrine montrerait les dents comme un chat. Toutefois, certains contestent cette origine et font remonter le chagrin au cuir grenu qu'on utilisait comme râpe, provenant de la croupe (en turc, *sagri*) des mulets. Un cuir râpeux qui, forcément, s'usait à la longue comme peau de chagrin, d'où l'expression.

Chatouiller VI Produire sur la peau des sensations agréables ou pénibles par des attouchements légers. Quiconque a déjà senti un chat frôler sa jambe comprendra l'origine féline du mot.

Chatoyer VI Présenter des reflets différents selon le jeu de la lumière… comme les yeux des chats.

Mignon ADJ. Qui, dans son apparence menue, a de la grâce. De la même famille que « minet, minette », qui désigne d'ailleurs à la fois un chat et un jeune enfant (un minot) pour lequel on a de l'affection.

mignon

Et le **chaton** des bagues, alors, qui enserre la pierre précieuse ? Une allusion aux griffes du petit chat ? Pas du tout ! Il vient du francique *kasto*, « caisse ». Le chat est parfois un faux ami…

143

Le problème de Lewis Carroll

*L'auteur d'*Alice au pays des merveilles *n'était pas seulement un merveilleux conteur, mais aussi un mathématicien. Ce problème est paru en février 1880 dans la revue pour jeunes filles* The Monthly Packet. *Derrière une apparence simple, se cache une multitude de réponses possibles, selon son interprétation. N'est-ce pas là exactement le monde tel que le voit Alice ?*

Le problème

Si 6 chats tuent 6 rats en 6 minutes, combien faut-il de chats pour tuer 100 rats en 50 minutes ?

La solution à première vue

La réponse paraît facile : il faut 6 minutes à 6 chats pour tuer 6 rats. Pour en tuer 100, il leur faudra 100 minutes. Si l'on veut réduire ce temps par 2, alors il faut doubler le nombre de chats. La réponse est donc 12 chats.

La solution quand on y regarde à deux fois

Tout le problème, c'est qu'on ne dit pas de quelle manière les chats tuent les rats. Faut-il que les 6 chats se mettent tous ensemble pour tuer 1 rat en 1 minute ? Ou bien 3 chats s'allient-ils pour tuer 1 rat en 2 minutes ?

Dans ces deux cas, le résultat reste 12.

Mais s'il faut 2 chats pour tuer 1 rat au bout de 3 minutes, le calcul n'est plus le même. En 48 minutes, chaque couple de chats aura tué 16 rats (16 fois plus qu'en 3 minutes), ce qui fera 48 rats tués (48 = 3 comptés). Et en doublant le nombre de chats (12), on obtient le double de rats tués en 48 minutes (96). Mais pour arriver à en tuer 4 de plus, il faudra plus d'un couple de chats, donc la réponse est 14

Autre hypothèse : s'il faut 6 minutes à chaque chat pour tuer son rat, au bout de 48 minutes, chacun en aura tué 8 (ces chats auront donc tué 48 rats en 48 minutes et 12 chats en auront tué 96, mais pas 100. Pour cette différence de 4 rats, il faudra faire appel à un treizième chat, même s'il ne travaille pas à temps complet). La réponse est donc 13

En conclusion, trois réponses sont possibles : 12, 13 ou 14

Lexique pour apprendre à parler «queue de chat»

Mais à quoi sert la queue du chat ? De ramasse-poussière, de fausse moustache, d'accessoire chatouilleur, oui, on le sait. De contrepoids pour favoriser l'équilibre, dit-on aussi, bien que les chats sans queue de l'île de Man n'aient pas la réputation de moins bien longer les gouttières. La réponse, c'est aussi que la queue du chat lui sert à communiquer. Les interprétations sont certes variables, mais la méthode Assimil ci-dessous devrait vous apporter quelques rudiments.

La vie est belle.
Bienvenue à la maison.

Minute existentielle :
qui est-ce ? Qui suis-je ?
Qui domine l'autre ?
Tout est encore possible.

Clin d'œil ironique.
On joue à chat perché ?

Quel bonheur que ton retour ! Ça fait des siècles qu'on ne s'est pas vus.

Je veux bien faire copain-copain, mais j'ai quand même un doute.

Tout va bien, je montre patte blanche.

Si tu me cherches, tu me trouveras, alors estime-toi heureux que je reste pour le moment en position de défense.

La moutarde me monte au nez.

Grosse colère ou grosse frousse.

Gare à tes fesses, j'ai les griffes qui me démangent.

OK, t'es le plus fort, je m'incline.

Dis donc, c'est drôlement intéressant ce qui se passe là-bas.

J'espère que je t'impressionne, là ?

Je rêve ou c'est ma gamelle, là-bas ?

T'as de beaux yeux, tu sais. Tu es nouvelle dans le quartier ?

Le quart d'heure nostalgique
Souvenir de « Téléchat »

Si vous avez été enfant dans les années 1980 et/ou si vous faites partie des nombreux admirateurs du poète, dessinateur et cinéaste Roland Topor, vous n'avez pas pu louper cette série télévisée autoproclamée dans son générique « Télévision de premier choix / Faite à la main comme autrefois / La seule qui soit au beurre d'anchois / Y a qu'une télé, c'est Téléchat. » Diffusée à partir d'octobre 1983, elle obtint l'année suivante, au Festival de Cannes, le prix de la meilleure émission francophone pour enfants. Au total, 234 épisodes de 5 minutes. Souvenirs, sou-ouvenirs…

QUIZ DE REMUE-MÉMOIRE

COMMENT S'APPELAIT LE CHAT PRÉSENTATEUR ?

Réponse : Groucha.

DE QUELLE ESPÈCE ANIMALE ÉTAIT LOLA, LA SPEAKERINE, DONT IL ÉTAIT SECRÈTEMENT AMOUREUX ?

Réponse : une autruche.

QUELLE ÉTAIT LA PARTICULARITÉ DE MIKMAC, LE MICRO ?

Réponse : il était vivant et ne se privait pas d'intervenir.

CHAQUE JOUR, UN GLUON ÉTAIT INTERVIEWÉ : LE GLUON DE LA TARTE À LA CRÈME, LE GLUON DE LA LUNE ET MÊME LE FAMEUX GLUON DU TROU. MAIS UN GLUON, EST-CE QUE ÇA EXISTE POUR DE VRAI ?

Réponse : eh oui ! Le mot apparait dans les dictionnaires scientifiques comme étant « un boson, une particule qui transmet l'interaction forte entre les quarks. » (On est déjà à mi-chemin vers la poésie.)

QUEL PETIT PERSONNAGE À TÊTE DE CITROUILLE SE BATTAIT CONTRE DES ASPIRATEURS ET AUTRES ADVERSAIRES DU QUOTIDIEN ?

Réponse : Léguman, bien sûr !

QUELLE ÉTAIT L'ENSEIGNE DES PRODUITS PUBLICITAIRES PRÉSENTÉS PAR LE SINGE VERT ET IDIOT NOMMÉ PUB-PUB ?

Réponse : les produits NULS.

COMMENT S'APPELAIENT LES JOURS DE LA SEMAINE ?

Réponse : lourdi, pardi, morquidi, jourdi, dendrevi, sordi et mitanche.

QUE SORTAIT LE PRÉSENTATEUR DE SON BRAS DANS LE PLÂTRE ?

Réponse : l'objet du jour, par exemple un pot de mayonnaise, en clamant : « Aujourd'hui, jourdi 13, c'est la saint pot de mayonnaise, alors bonne fête à tous les pots de mayonnaise ! »

DE QUELS AUTRES PERSONNAGES SECONDAIRES VOUS SOUVENEZ-VOUS ?

Réponse : Duramou, huissier et fer à repasser de son état ; Brossedur, balais et concierge des studios, au courant de tous les potins ; Raymonde la fourchette et Sophie la cuillère, avec son accent anglais ; Durallo, le téléphone dur d'oreille qui imitait des voix diverses pour faire marcher Groucha…

SUR QUELLE PHRASE FINALE, PARODIE DE LUCIEN JEUNESSE, SE TERMINAIT LE « NOURJAL » ?

Réponse : « Chalut ! À demain, si on veut bien ! »

149

Garçon, un café et un chat, SVP !

Eh oui, c'est chose possible à Tokyo, dans le café Calico.
La carte des consommations a des allures de trombinoscope,
puisque vous y choisissez l'un des dix-neuf chats en service, choisis
pour leur bon caractère et la douceur de leur pelage. Pour 800 yens
(environ 8 €) de l'heure, ce chat est le vôtre : il ronronnera
sur vos genoux ou jouera avec vous sur les fauteuils conçus pour
le confort des bêtes comme pour celui de leurs maîtres. Le concept
fait fureur, notamment auprès des femmes et des enfants,
et de façon plus générale auprès d'un public amoureux des chats,
mais qui n'a pas les moyens d'en avoir à domicile (problème
de place, d'allergie, de garde pendant les vacances…). Le café
enregistre environ soixante-dix visites par jour en semaine
et le double le week-end. D'après ses aficionados, c'est
une véritable cure de relaxation…

****

ちょこ　祭　レトロ

三太　風子　玉子

おせち　ミミ　葉月

ララ　まるこ　ククル

小麦　ポコ　いちご

カンナ　みかん　桃

****

Le site officiel (en japonais) : http://cafecalico.com.

Savez-vous reconnaître les différentes races de chats?

C'est seulement la nuit que tous les chats sont gris : dans la journée, il y en a des noirs et des jaunes, des rayés et des tachetés, des chauves et des angoras. Le LOOF (livre officiel des origines félines) recense plus de quatre-vingts races de chats domestiques. Combien pouvez-vous en étiqueter?

ANGORA TURC

BIRMAN

BLEU RUSSE

CHARTREUX

MANX

OCICAT

PERSAN

SELKIRK

SIAMOIS

SPHYNX

RAGDOLL

NORVÉGIEN

153

Quelques perles issues de notices d'emballages

Ne nous moquons pas : c'est sans doute un métier difficile que de rédiger des modes d'emploi, d'une part limpides pour le grand public, et d'autre part satisfaisant aux exigences de sécurité des avocats maison. Sans compter qu'il s'agit parfois de traductions du coréen ou du thaïlandais. On sait que la maîtresse d'un chat l'ayant fait malencontreusement griller au micro-ondes pour lui sécher le pelage, comme elle avait l'habitude de le faire autrefois dans son four à chaleur tournante, à faible thermostat, a intenté un procès au fabricant parce que la notice ne prévenait pas des dangers d'une telle pratique. Sans compter les lobbies d'allergiques de tout poil ! Alors on n'est jamais trop prudent…

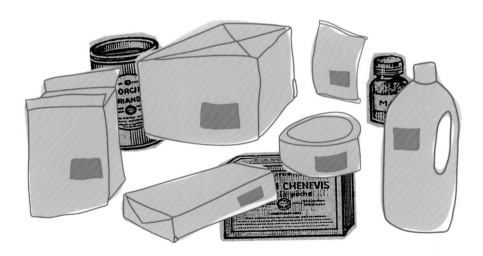

Sur un sirop antitussif pour enfants

Ne pas conduire ou opérer de machine après absorption.

Attention, peut entraîner la **somnolence.**

Sur une bouteille de somnifère

Sur un paquet de chips

Sur un gâteau

Le produit sera **chaud** après avoir été réchauffé.

JEU GRATUIT
sans obligation d'achat,
détails à l'intérieur du paquet

Sur la notice d'une tronçonneuse électrique suisse

NE PAS ESSAYER D'ARRÊTER LA CHAÎNE AVEC LA MAIN
OU UN AUTRE ORGANE.

Sur la notice d'un modem

Pour obtenir le logiciel d'installation,
rendez-vous sur le site Internet de la compagnie.

Sur un déguisement de Batman

Le masque et le plastron
n'offrent aucune protection.
La cape ne permet pas de voler.

Avertissement :
contient des cacahuètes.

Ne jamais
conduire
lorsque la
housse est
sur votre
pare-brise.

*Sur un paquet
de guirlandes de Noël*

Sur un paquet de cacahuètes

Ne pas repasser le linge sur le corps.

POUR USAGE
INTÉRIEUR
OU EXTÉRIEUR
UNIQUEMENT.

Sur la notice d'un fer à repasser

À NETTOYER QUAND IL EST SALE.

*Sur une housse de
protection de
pare-brise*

Sur l'étiquette d'un maillot de bain

Utiliser le côté avec des poils.

*Sur un emballage
de glace à l'eau*

Attention,
ne pas retourner.

*ur la boîte d'une
brosse à dents*

À consommer glacé.

Sur le fond de l'emballage d'un tiramisu

Ne pas utiliser en dormant.

SE MET SUR LA TÊTE,

Sur une notice de sèche-cheveux

Sur un emballage de bonnet de douche

Quelques prénoms
féminins chinois
ou le poids de l'autorité parentale

YUE YOU Heureuse et aimée
FANG Senteur sucrée
JUANG Odorante
DA JU Grande héroïne
LÉI JU Bourgeon de fleur
CONG Intelligente
JMEI Prune
LI RONG Joli lotus
JIANG LI Belle rivière
MIN LI Bonne et belle
JING Cristal effervescent
YUE YAN Heureuse et belle
JING Lentille d'eau
CHVANG MU Déesse des plaisirs sexuels
QI Jade fin
FANG YIN Haleine de fleur
YUE Neige

Donner un prénom, c'est déjà tracer un petit bout de destin à son enfant. Mais s'il est chinois, la route est plus précise encore, puisque chaque syllabe est un mot en soi et fait sens. Quelle lourde responsabilité que de nommer sa fille ! La rêve-t-on jeune et jolie ? Riche et célèbre ? Heureuse en amour ou en affaires ? Ça ressemble aux vœux des bonnes fées autour du berceau (attention ! pas plus de deux, il faut bien choisir). En d'autres temps, on a connu aussi des Victoire-Jaune et des Vive-l'Armée…

XUE WEN Heureuse et gentille

LI MEI Belle fleur de prunier

ZAO HONG Arc-en-ciel du matin

QING QING Glaçon transparent

TING YUAN Source d'eau claire

SI ZE Heureuse et rayonnante comme une perle

YUE YING Lune brillante

LI QIN Heureuse et intelligente

YAN YAN Bel instrument à cordes

Hirondelle x 2 = élégante

XIA Embrasement du coucher de soleil

Des plaques qui donnent envie de déménager pour rire

Limetz–Villez

RUE DES
FEMMES-FRAÎCHES

Mauffans

RUE DU
CUL-DU-PUTOIS

Libin

IMPASSE
CASCOUILLE

Amiens

RUE DU
BOUT-DU-MONDE

Le Kremlin–Bicêtre

ROUTE
STRATÉGIQUE

Rambouillet

RUE
TROUSSE-VACHE

Boulogne–Billancourt

AVENUE DE LA
VOIE-LACTÉE

Châtenay–Malabry

ALLÉE DU
POIRIER-DU-GANGE

Paris

RUE
MONTEMPOIVRE

Berck

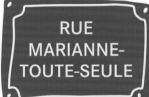
RUE
MARIANNE-
TOUTE-SEULE

Saint–Amand–les–Eaux

VOIE DOLENTE

Montpellier

RUE DES
GAGNE-PETIT

Bruniquel

RUE
TROTTE-GARCES

Valenciennes

RUE HON-HON

Beaurain

RUE DU
PROFOND-SENS

Avignon

RUE DU
CHIEN-QUI-FUME

Toulouse

RUE DU
POIDS-DE-L'HUILE

Châteaudun

RUE DU
CHAT-QUI-PÊCHE

Bruxelles
IMPASSE DE LA FIDÉLITÉ

Valence
RUE DU HA-HA

Le Mans
RUE DE LA TRUIE-QUI-FILE

Liège
BOULEVARD CUIVRE-ET-ZINC

Gap
RUE JEAN-EYMARD

Caen
AVENUE DE L'ENCHANTEUR MERLIN

Le Plessis–Gassos
RUE DE L'ORNE-AUX-GRIEFS

Évry
RUE DE L'ÉCOUTE-S'IL-PLEUT

Bruxelles
RUE SCHTROUMPF

Limoges
RUE MONTE-À-REGRETS

Lagny–sous–Bois
CHEMIN DU CHAMP-POURRI

Pouzolles
RUE BOMBE-CUL

Lille
RUE DU CHAT-BOSSU

Waremme
IMPASSE SANS-NEZ

St–Gengoux–le–National
RUE PAVÉE-D'ANDOUILLES

Pornic
RUE TARTIFUME

Fontenay– sous–Bois
RUE DU FOND-DES-ANGLES

Paris
RUE BARBANÈGRE

Gembloux
RUE MALAISE

Paris
RUE DES MAUVAIS-GARÇONS

Sault
RUE ROMPE-CUL

159

Le tour du monde de Dupond & Dupont

Aussi célèbre que Tintin et Milou, le duo de moustachus créé par Hergé apparaît pour la première fois en 1934 dans l'album Les Cigares du Pharaon *sous les noms de X33 et X33 bis. Dans les nombreuses traductions, si Tintin conserve plus ou moins son nom, tandis que Milou s'adapte aux modes canines locales (Snowy en anglais, Struppi en allemand, Mylw en arabe, Báixue en chinois, Sunoui en japonais, Bobby en néerlandais…), les faux jumeaux, si prompts à se déguiser, sont bien obligés d'épouser finement les patronymes les plus idiomatiques. Ainsi reflètent-ils les gens du cru et passent-ils incognito, fidèles à leur devise : « botus et mouche cousue ».*

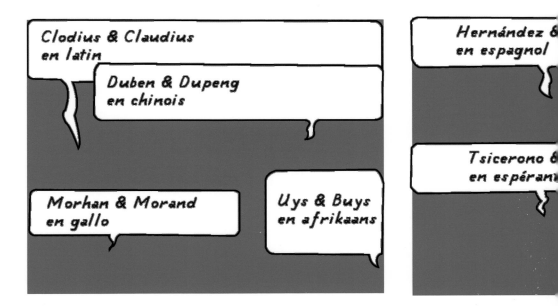

Clodius & Claudius
en latin

Duben & Dupeng
en chinois

Hernández &
en espagnol

Tsicerono &
en espéran...

Morhan & Morand
en gallo

Uys & Buys
en afrikaans

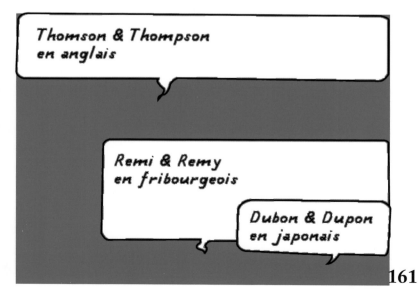

161

Quelques mots moches qui désignent des jolies choses

- coït
- cabochon
- épousailles
- glaïeul
- cacatoès
- rêvasser
- muflier
- ribouldingue
- concubinage
- salpicon
- panégyrique
- jouir
- renoncule
- pourpre
- rase-pet
- mioche
- bru
- charisme
- caracul
- solstice
- lupin
- scabieuse
- poète
- folichon
- versiculet
- peton
- pétale
- baise-en-ville
- ragoûtant

Quelques mots jolis qui désignent des choses moches

- sycophante
- roséole
- ankylose
- querelle
- vengeance
- virago
- flatulence
- panaris
- salmonella
- violence
- syphilis
- tyrannie
- fiente

- tristesse
- mirador
- coprolalie
- diarrhée
- mensonge
- avarice
- vermine
- scolopendre
- pestilentiel
- énurésie
- limace
- guano

Faites le test !

Sleon une édtue de l'Uvinertisé de Cmabrigde, l'odrre des ltteers dnas un mot n'a pas une ipmrotncae crucilae puor la lceture. La suele coshe ipmrotnate est que la pmeirère et la drenèire seoint à la bnnoe pclae. Le rsete peut êrte dnas un dsérorde ttoal et vuos puoevz tujoruos lrie snas porblème majuer. C'est prace que le creaveu hmauin ne lit pas chuaqe ltetre elle-mmêe, mias le mot cmome un tuot.

Mon mari m'a dit qu'il voulait
passer ses vacances dans un endroit
où il n'était jamais allé. J'ai répondu :
« *Et pourquoi pas la cuisine ?* »

La géographie pour les nuls

Vous avez du mal à retenir le nom des régions, des départements et des chefs-lieux français ? C'est parce que vous n'avez pas commencé par le commencement. Voici la première leçon : toutes les communes de France dont le nom ne comporte que deux lettres. Demain, on passe à trois !

Pyrénées-Orientales **U R**

Calvados **B Ô**
Pyrénées-Orientales **P Y**
Val-d'Oise **W Y**

Somme **Y**

D 118 E

U Z Hautes-Pyrénées

D 6

R Y Seine-Maritime

D 118E

AY Marne

D 6

IS Haute-Marne

S Y Ardennes

FA Aude
US Val-d'Oise
RI Orne

O Ô Haute-Garonne

B Û Eure-et-Loire

VY Haute-Saône
EU Seine-et-Marne
BY Doubs

GY Haute-Saône

169

Manuel de conversation à l'usage du soldat américain (extraits)

Ce livre existe bel et bien : il a été publié par le War Department américain en 1943 à destination des troupes sur le point de débarquer en France. Dans l'urgence, pas question de leur apprendre les règles de la langue de Molière. Pour parer au plus pressé et permettre tout de même aux GI d'engager la conversation avec les autochtones, le petit livre égrène la prononciation « à l'anglaise » de phrases clés en français. Des phrases bien choisies. Essayez tout haut…

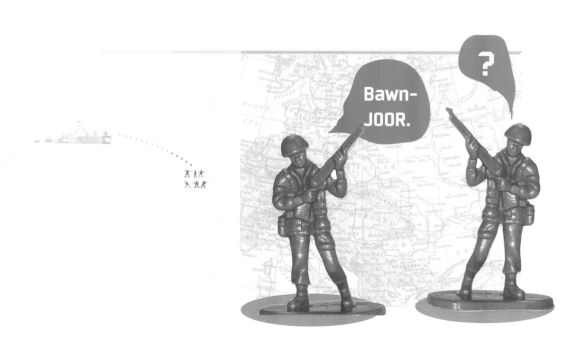

BAWN-JOOR.

KAW-MAHN-T/AH-LAY VOO ?

OO SAWNG LAY SAWL-DA-Z/AH-MAY-REE-KANG ?

JUH NUH KAWM-PRAHNG PA.

PAR-LAY LAHNT-MAHNG, SEEL VOO PLAY.

KESS KUH SAY KUH SA ?

SUH NAY PA BAWNG.

OO AY LUH LA-VA-BO ?

KAWN-DWEE-ZAY-MWA SHAY-Z/UNG DAWK-TUR.

VOO SUH-RAY RAY-KAWN-PAHN-SAY.

Leçon de nuages

Ils ont des noms à coucher dehors (pour mieux les regarder),
des noms de professeur Nimbus, des noms que l'on a répertoriés ici,
quitte à bouleverser un peu les coutumes et aussi les us.

altocumulus

altostratus

cirrocumulus

fœtus

cirrus

cirrostratus

autobus

nimbostratus

stratocumulus

stratus

cumulus

diplodocus

cumulonimbus

cactus

173

Liste de CD à emporter sur une île déserte

CACAHU... - ...APPOTE DE DÉFINITI... - DÉPANN... - DÉFINITI... - COPAI... - DÉROUILLE DISPONIBLE - DICTIONNAIRE - CHOUETTE D... - ...OTHE... - ...LÈTE DS... - ...ORATÉE... - ...PLEX - ...ANAPÉ DÉCORATIF - CRÈME DÉPILATOIRE - CARTES DIVINATOIRES - CHÉRI(E) DISPONIBLE - GER... - DÉMONTABLE - CANICHE DÉVOUÉ - D... - CABANE - CASSE-DALLE - CASSE-DALLE - DÉPILATOIRE

Surnom intime

Fréquence des rapports, mode d'administration

Symptôme

Si votre chéri(e) est particulièrement excité(e)…	Vous pouvez le/la traiter de…
par le contact de certaines étoffes (soie, cuir, latex, vinyle…)	**hiphéphile**
par les sous-vêtements… mais souillés (c'est là que ça se corse)	**mysophile**
rien qu'à parler de sexualité	**narratophile**
par le contact de la foule	**ochlophile**
par les états d'angoisse (peur+sexe = recette de cinéma à succès)	**phobophile**
par l'usage de ketchup, de Nutella ou de miel au cours de vos ébats	**sitophile**
quand il/elle vous voit en train d'uriner	**urophile**
par sa propre jalousie, même si elle lui bouffe la rate	**zélophile**
à l'idée de vous faire l'amour tout en restant tous les deux habillés	**endytophile**
par vos lunes… ou éventuellement toutes les autres	**pygophile**
par les pubis rasés	**acomoclitiste**
par le désir d'être traité comme un petit enfant (fessée, tétée, etc.)	**autonupiophil**
par le pincement des tétons, qu'ils soient vôtres ou siens	**bouboupiste**
par l'amour avec les extraterrestres, ce qui est assez frustrant	**exobiophile**
quand se dévoile à lui/elle le charme irrésistible d'une oreille bien ourlée	**oracolophile**
par l'amour dans le train	**sidérodromoph**
par le spectacle de vous-même endormi(e)	**somnophile**
quand il/elle vous regarde en train de prendre un bain ou une douche	**ablutophile**

Bilan global (partie à

(Écrire avec l'autre extrémité du stylo)

....

Date

concernant l'assuré(e)

Place préférée dans le lit

Numéro de C-cul

dentifiables

	Si votre chéri(e) est particulièrement excité(e)…	**Vous pouvez le/la traiter de…**
	par les mannequins des Galeries ou les gisants du Père-Lachaise	**agalmatophile**
	à l'idée de faire avec vous l'amour dans un lieu public	**agoraphile**
	quand d'autres (les voisins?) savent que vous êtes en train le faire	**agrexophile**
	par les grenouilles (leurs râles, leurs cuisses, leur muqueuse…qui sait?)	**batrachophile**
	par les bistouris, stéthoscopes et autres accessoires pour jouer au docteur	**cathérophile**
	par vos aisselles	**axiliste**
	par le projet de vous voir faire l'amour avec d'autres partenaires	**candauliste**
	par vos larmes, hélas	**dacryphile**
	par le contact avec les arbres	**dendrophile**
	par la vue d'anomalies physiques (que n'étiez-vous né(e) bossu(e)!)	**dysmorphophile**
	à l'idée de jouer au cambrioleur qui viendrait vous prendre endormie	**harpaxophile**
	à l'idée de faire l'amour avec vous dans un lieu sacré	**hiérophile**
	quand il/elle monte sur scène, donne une conférence ou se produit en public de façon générale (cherchez bien)	**homilophile**
	par les délinquants, les rebelles et les hors-la-loi (comme tant d'héroïnes de tout temps)	**hybriostophile**
	par les chiens (leurs poils, leur langue râpeuse, leur truffe humide…, qui sait ?)	**canophile**

ger par le / la partenaire)

Le septième ciel du septième art

Les films pornos, c'est connu, ne fondent pas leur réussite sur la finesse de leur scénario. Pourquoi s'embarrasser à inventer une histoire quand il en existe déjà plein ? D'où leur usage de la parodie, afin d'exciter un peu de matière grise avant de passer aux choses de la chair. Florilège de détournements suggestifs, juste pour le plaisir de la langue.

LA RAIE SUR IMAGE
ROX ET ROUQUINE
L'ARRIÈRE-TRAIN SIFFLERA TROIS FOIS
ÇA GLISSE AU PAYS DES MERVEILLES
AUTANT EN EMPORTE LE GLAND
LA RUÉE VERS LAURE
BANANE MÉCANIQUE
LES FLEURS DU MALE
BIENVENUE CHEZ LES CH'TITES COQUINES
CHACUN CHERCHE SA CHATTE
COUP DE FOUTRE À NOTTING-HILL
LES TÉTONS FLINGUEURS
CRIS ET SUÇOTEMENTS

BLANCHE-FESSE ET LES SEPT MAINS

CROUPE DU MONDE 98

DA VINCI GODE

ERECTIONS PRESIDENTIELLES

GORILLES DANS LA BRUNE

HARRY PELOTEUR

IN DIANA JONES

JE VOUS REÇOIS CINQ SUR CINQ

L'ENFILEUR DES ANNEAUX

LA PLANÈTE DES SEINS

laisse tes mains sur mon manche

CHÉRIE, J'AI AGRANDI LES GODES

LE BLACK EST D'ÉQUERRE

LE RAMONEUR DES LILAS

DIX MANCHES, C'EST LA FÊTE

LORD OF THE STRING

la braguette magique

QUI VEUT TOUCHER DES NICHONS ?

SUZANNE, OUVRE-TOI !

MINOU EN MET

Itinéraires bi pour amateurs de tourisme sexuel

Le monde, à la différence de l'homme, a cette chance d'avoir plusieurs trous du cul. Leur exploration nécessite des années de vacances, même si l'on ne s'en tient qu'à la France. Pourtant, le Québec mérite aussi qu'on y fasse un saut. Au fait, depuis quand ne vous a-t-on pas posé la question de cour de récré : « T'habites à combien de kilomètres de Tours ? »

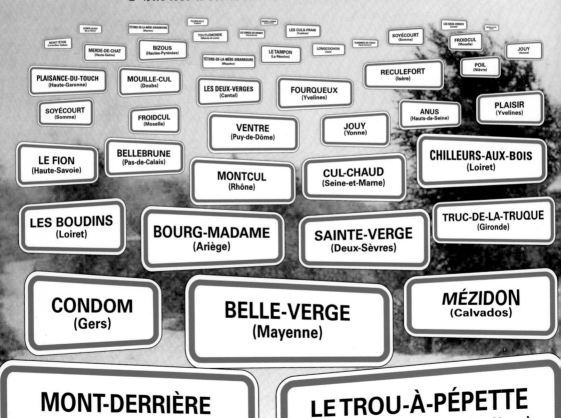

MOUILLE-CUL
(Doubs)

BOURG-MADAME
(Ariège)

BIZOUS
(Hautes-Pyrénées)

TOUTLEMONDE
(Maine-et-Loire)

LES GORGES-DU-BRONZE
(Haute-Savoie)

LES CULS-FRAIS
(Yvelines)

BOURG-MADAME
(Ariège)

LONGCOCHON
(Jura)

SOYÉCOURT
(Somme)

FROIDCUL
(Moselle)

LES DEUX-VERGES
(Lozère)

RECULEFORT
(Isère)

MEZIDON
(Basse-Normandie)

CORPS-NUDS
(Ille-et-Vilaine)

LE TAMPON
(La Réunion)

TÉTONS-DE-LA-MÈRE-DIBARBOURE
(Miquelon)

PLAISANCE-DU-TOUCH
(Haute-Garonne)

BOURG-MADAME
(Ariège)

FOURQUEUX
(Yvelines)

JOUY
(Eure-et-Loir)

ANUS
(Haute-Saône)

PLAISIR
(Yvelines)

MERDE-DE-CHAT
(Haute-Saône)

LE SAIX-NOIR
(Haute-Savoie)

TÉTONS-DE-LA-MÈRE-DIBARBOURE
(Miquelon)

TOUTLEMONDE
(Maine-et-Loire)

LE SALE-VILLAGE
(Maine-et-Loire)

LES CULS-FRAIS
(Yvelines)

TÉTONS-DE-LA-MÈRE-DIBARBOURE
(Miquelon)

TRUC-DE-LA-TRUQUE
(Gironde)

BIZOUS
(Hautes-Pyrénées)

LE TAMPON
(La Réunion)

LONGCOCHON
(Jura)

TRÉBONS-SUR-LA-GRASSE
(Haute Garonne)

LE TROU-À-DORÉ
(Laurentides, Québec)

CHEMIN DE TIRE-QUEUE
La Tronche (Isère)

LAYRE-DE-LA-TRONCHE
(Corrèze)

ANSE-À-MOUILLE-CUL
(Saint-Laurent, Québec)

MON BEAU-RÊVE
(Deux-Sèvres)

LE TROU-DE-LA-VIEILLE
(Saguenay, Québec)

ÉTALON
(Somme)

LAC DE LA MOTTE
(Isère)

TROU-D'ENFER
(Nord)

DILDO
(Terre-Neuve, Canada)

ÉTANG DE LA QUEUE-PLATE
(Lanaudière, Québec)

BIBICHE
(Moselle)

MERDEUSE
(Ardennes)

LES GRANDES-MOUILLES
(Saône-et-Loire)

LA FOSSE-DU-TROU-À-MÉMÈRE
(Gaspésie, Québec)

LES GORGES-DU-BRONZE
(Haute-Savoie)

SUC-DE-BAISE
(Puy-de-Dôme)

MONTFROC
(Drôme)

DÉTROIT DES FESSE-SERRÉES
(Côtes-Nord, Québec)

TÉTONS-DE-LA-MÈRE-DIBARBOURE
(Miquelon)

TROU-DU-CUL
(Nièvre)

LE SAIX-POURRI
(Haute-Savoie)

MOUILLE-LA-MOTTE
(Côtes-d'Armor)

LE TROU-À-PARADIS
(Gaspésie, Québec)

MONTETON
(Lot-et-Garonne)

LA BITTE
(Indre)

GLAND
(Aine)

DURANUS
(Alpes-Maritimes)

181

Comment répondre à la question :
« Qu'as-tu dans le CALEÇON ? »

Un **CON**, un **ÂNE**, un tout petit peu d'**ACNÉ** and **CO**, un peu du mystère du chevalier d'**ÉON**. Mais surtout un **ÉLAN** pour toi, une **CLÉ** qui t'ouvrira, une **LANCE** dressée, un **CÔNE** pointu, de quoi faire la **NOCE**, de quoi fêter **NOËL** ou te donner une bonne **LEÇON**. Il y a tout un **LAC** et même un **OCEAN**, et puis un **CANOË** pour le traverser, avec du **COCA** et du **COLA** pour la route. Il y a quelque chose qui fait **CLAC**, quelque chose qui dit « **NO** », qui dit « **NA !** », qui dit « **ON... ?** », qui dit « **OLÉ !** ». Quelque chose de **CLEAN**, quelque chose de mon **CLAN**, et plus précisément de mon **ONCLE LÉON**. Dans mon caleçon, il y a **ÇA**, qui est un peu un **CLONE** de moi. Oui, il y a tout **CELA**.

Est-ce que ça suffira ?

De quel côté du lit dormez-vous ?

C'est une question cruciale qui vaut bien celle de la barbe du capitaine Haddock : dessus ou dessous le drap ? Suivez notre coach et vous allez enfin savoir si vous êtes dans la moyenne.

Première étape : état des lieux

Répertoriez les lieux dans lesquels vous avez dormi ensemble afin de tirer des statistiques de vos observations.

- chez vous
- chez vous avant le déménagement
- chez les parents de monsieur
- chez les parents de madame
- le dernier week-end passé chez des amis
- un hôtel au bord de la mer
- un hôtel exotique, lors d'un voyage lointain
- la maison de vacances louée en 2003
- lors de cette escapade romantique à Prague (Venise, Berlin, Oslo…)
- un chalet au pied des pistes
- une suite avec minibar
- une mansarde cosy
- chez Philippe et Nathalie
- ce trou à Bangkok, tu sais ?
- ce palace à Las Vegas, tu te souviens ?
- ....
- ....
- ....

À partir des lieux que vous avez en tête, tentez de noter des constantes afin de deviner ce qui a pu guider vos choix.

- les points cardinaux ?
  (monsieur au sud, madame au nord… ?)
- la proximité de la fenêtre ? (monsieur étouffe, madame grelotte… ?)
- la droite et la gauche ? (main droite de madame dans la gauche de monsieur, comme le jour de votre mariage… ?)
- la disposition des lumières ? (madame bouquine, monsieur roupille… ?)
- la proximité du réveil ? (madame assure, monsieur roupille… ?)
- la proximité des toilettes ? (madame trépigne, monsieur roupille… ?)
- la disposition des murs ? (madame se tapit, monsieur se déplie… ?)
- ……………………………………………………………
- ……………………………………………………………
- ……………………………………………………………

Troisième étape : méditation sur la solution

C'est celle que professent les psychosociologues : de tout temps, depuis l'âge des cavernes en passant par celle des baldaquins et jusqu'à l'ère Ikea, les hommes se couchent spontanément du côté de la porte et les femmes tout aussi spontanément du côté opposé à la porte. Pourquoi ? Parce que homme fort protéger femme faible contre envahisseur, avec ou sans gourdin.

Le texte propre sur lui
ou comment amener le petit au cirque sans dire de gros mots

J'étais
en train d'agacer le
sous-préfet, histoire de border
l'insomniaque. Impossible pour moi de
dormir sans avoir poli le chinois jusqu'à faire mousser
le créateur. C'est sûr, au lieu de faire l'amour avec la veuve
poignet, j'aurais préféré me faire peigner la girafe par une main
féminine ou encore mieux me tremper le biscuit dans une cressonnière,
mais, faute de mieux, j'en étais pour ma pomme à me raboter le gourdin
pour m'allonger le macaroni en solo. J'étais pas loin de faire pleurer le colosse
quand une pépée tout droit tombée de l'écran est entrée dans ma chambre.
« Alors, on se tire sur l'élastique tout seul ? », qu'elle a demandé. « Tu veux que
je t'aide à défromager le minaret ? » Et sans attendre ma réponse, elle s'agenouille
et me gobe le merlan. Se faire glouglouter le poireau pour pas un rond, moi je dis
pas non. Ah, on peut dire qu'elle savait jouer de la flûte à moustache, la garce !
J'allais lui administrer le saint viatique en lui détartrant le larynx quand j'ai visé son
minou. Trêve de turlutte, il serait toujours temps de me faire scalper le Mohican
plus tard : j'avais soif, l'urgence était soudain de lui boulotter le mille-feuille. Les
tartes au poil, c'est mon dada : ni une, ni deux, je suis descendu aux Pays-Bas et
j'ai collé des timbres à la cave pour lubrifier la zone d'entrage. Et puis, après
une cravate de notaire pour me remettre d'aplomb, je suis allé bivouaquer
dans la crevasse et on a trinqué du nombril. J'y ai carré l'oignon et je lui ai
brioché mon saucisson, et je peux vous dire que l'animal a aimé la visite
des grottes humides. Le train était à peine entré dans le tunnel
qu'elle me redemandait de la fricon friquette. Une vraie
braise, cette femme-là ! J'ai fait sprinter l'unijambiste et
je lui ai bourré le sac à dos. « Ponce-moi le fagot,
faisande-moi le dindon, explose-moi
le terrier ! », qu'elle

criait. « Je vais t'incendier la chambre froide, je vais te ratisser le bunker, je vais te gominer la touffe », que je promettais, pour faire poète. Et puis j'ai balancé le bébé dans l'égout : j'ai fait un swing au deuxième trou, j'ai embourbé le quatre-quatre et j'ai emmené bronzer le spéléo, si vous préférez. Elle n'a pas bronché, il faut croire qu'elle aimait se faire shooter dans la boîte à cachous. Je me suis caramélisé le petit sucre, et c'est là qu'elle a joui en criant : « Mon Dieu ! »

J'ai trouvé ça dégueulasse, je suis sorti illico.

Quelle est la différence
entre un pléonasme
et un fantasme ?

VINS DE PAYS
INATTENDUS

Les vins français, italiens, espagnols ou californiens, vous les connaissez, vous les adorez bien sûr, mais vous avez envie de nouveauté, d'exotisme. Si vous voulez entraîner vos papilles sur des routes plus exotiques ou surprenantes, voici une liste de pays moins connus dans lesquels on produit du vin. Certes, il n'est pas forcément bon, ni facile à trouver…

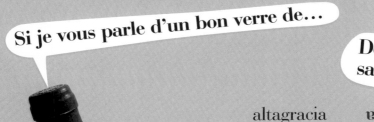

Si je vous parle d'un bon verre de…

Devinerez-vous sa nationalité ?

altagracia	Vénézuela
areni	Arménie
banga	Lituanie
barbeito	Portugal
bargylus	Syrie

LE BONHEUR DOMESTIQUE, VERSION 1950

*Le texte qui suit a plus ou moins le même âge que vous.
Mais il a vieilli beaucoup plus vite que vous,
vous ne trouvez pas ?*

SOYEZ PRÊTE

Prenez quinze minutes pour vous reposer afin d'être détendue lorsqu'il rentre. **Retouchez votre maquillage, mettez un ruban dans vos cheveux et soyez fraîche et avenante.** Il a passé la journée en compagnie de gens surchargés de soucis et de travail. Soyez enjouée et un peu plus intéressante que ces derniers. Sa dure journée a besoin d'être égayée, et c'est l'un de vos devoirs de faire en sorte quelle le soit.

FAITES EN SORTE QUE LE SOUPER SOIT PRÊT

Préparez les choses à l'avance, le soir précédent s'il le faut, afin qu'un délicieux repas l'attende à son retour du travail. C'est une façon de lui faire savoir que vous avez pensé à lui et vous souciez de ses besoins. **La plupart des hommes ont faim lorsqu'ils rentrent à la maison** et la perspective d'un bon repas (particulièrement leur plat favori) fait partie de la nécessaire chaleur d'un accueil.

RANGEZ LE DÉSORDRE

Faites un dernier tour des principales pièces de la maison juste avant que votre mari ne rentre. Rassemblez les livres scolaires, les jouets, les papiers, etc., et passez ensuite un coup de chiffon à poussière sur les tables.

RÉDUISEZ TOUS LES BRUITS AU MINIMUM

Au moment de son arrivée, éliminez tout bruit de machine à laver, séchoir à linge ou aspirateur. Essayez d'encourager les enfants à être calmes. **Soyez heureuse de le voir.** Accueillez-le avec un chaleureux sourire et **montrez de la sincérité dans votre désir de lui plaire.** En définitive, veiller à son confort vous procurera une immense satisfaction personnelle.

ÉCOUTEZ-LE

Il se peut que vous ayez une douzaine de choses importantes à lui dire, mais son arrivée à la maison n'est pas le moment opportun. Laissez-le parler d'abord, souvenez-vous que **ses sujets de conversation sont plus importants que les vôtres.** Faites en sorte que la soirée lui appartienne.

NE VOUS PLAIGNEZ JAMAIS

s'il rentre tard à la maison ou sort pour dîner ou pour aller dans d'autres lieux de divertissement sans vous. Au contraire, **essayez de faire en sorte que votre foyer soit un havre de paix, d'ordre et de tranquillité** où votre mari puisse détendre son corps et son esprit.

NE L'ACCUEILLEZ PAS AVEC VOS PROBLÈMES

Ne vous plaignez pas s'il est en retard à la maison pour le souper ou même s'il reste dehors toute la nuit. Ne lui posez pas de questions sur ce qu'il a fait et ne remettez jamais en cause son jugement ou son intégrité. Souvenez-vous qu'**il est le maître du foyer** et qu'en tant que tel, **il exercera toujours sa volonté avec justice et honnêteté.**

À LA FIN DE LA SOIRÉE

Rangez la maison afin quelle soit prête pour le lendemain matin et pensez à préparer son petit déjeuner à l'avance. Le petit déjeuner de votre mari est essentiel s'il doit faire face au monde extérieur de manière positive. Une fois que vous vous êtes tous les deux retirés dans la chambre à coucher, préparez-vous à vous mettre au lit aussi promptement que possible.

HYGIÈNE FÉMININE

Bien que l'hygiène féminine soit d'une grande importance, votre mari fatigué ne saurait faire la queue devant la salle de bain, comme il aurait à la faire pour prendre son train. Cependant, **assurez-vous d'être à votre meilleur avantage en allant vous coucher.** Essayez d'avoir une apparence qui soit **avenante sans être aguicheuse.** Si vous devez vous appliquer de la crème pour le visage ou mettre des bigoudis, attendez son sommeil, car cela pourrait le choquer de s'endormir sur un tel spectacle.

RELATIONS INTIMES

En ce qui concerne les relations intimes avec votre mari, il est important de vous rappeler vos vœux de mariage et en particulier **votre obligation de lui obéir.** S'il estime qu'il a besoin de dormir immédiatement, qu'il en soit ainsi. En toute chose, **soyez guidée par les désirs de votre mari** et ne faites en aucune façon pression sur lui pour provoquer ou stimuler une relation intime.

ACCOUPLEMENT

Si votre mari suggère l'accouplement, acceptez alors avec humilité tout en gardant à l'esprit que **le plaisir d'un homme est plus important que celui d' une femme.** Lorsqu'il atteint l'orgasme, **un petit gémissement de votre part l'encouragera** et sera tout à fait suffisant pour indiquer toute forme de plaisir que vous **ayez pu** avoir.

CAS EXTRÊME

Si votre mari suggère une quelconque pratique moins courante, montrez vous obéissante et résignée, mais indiquez votre éventuel manque d'enthousiasme en gardant le silence. Il est probable que votre mari s'endormira alors rapidement ; ajustez vos vêtements, rafraîchissez-vous et appliquez votre crème de nuit et vos produits de soin pour les cheveux.

RÉVEIL

Remontez le réveil afin d'être debout peu de temps avant lui le matin. Cela vous permettra de tenir sa tasse de thé du matin **à sa disposition lorsqu'il se réveillera.**

Extraits du *Manuel d'éducation domestique*, éditions Latour, 1950.

L'échelle qui menait à l'amour ou votre histoire en métagrammes

Rencontrer l'amour de sa vie et l'épouser, c'est en somme passer du RIEN au TOUT, du DÉSERT à l'EXTASE de la LIBERTÉ à la LIAISON : celui qui était un ÉTRANGER devient BIEN-AIMÉ, celle qu'on appelait MADAME répond au joli nom de CHÉRIE. Toutes ces paires de mots ont le même nombre de lettres. Le petit jeu consiste à trouver le minimum de « mots-étapes » pour passer de l'un à l'autre, sachant qu'à chaque étape une seule lettre peut être remplacée par une autre. La série s'appelle un métagramme, en anglais word ladder, *« échelle de mots ». Ensuite, on joue à imaginer une histoire la plus courte possible qui utilise tous les mots intermédiaires.*

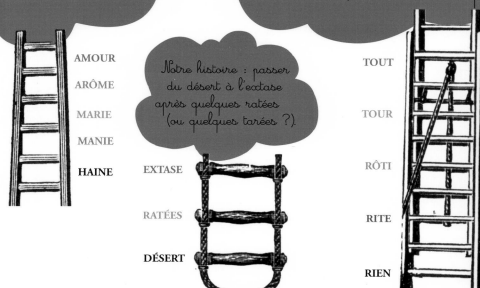

J'avais en haine ta manie de prier Marie, mais l'arôme de ta peau a eu raison de moi et je t'offre aujourd'hui mon amour.

Toi qui n'étais rien pour moi, voilà qu'aujourd'hui tu partages avec moi le rite du rôti du dimanche avant d'aller faire un tour : c'est tout, mais c'est beaucoup.

Notre histoire : passer du désert à l'extase après quelques ratées (ou quelques tarées ?).

AMOUR

ARÔME

MARIE

MANIE

HAINE

EXTASE

RATÉES

DÉSERT

TOUT

TOUR

RÔTI

RITE

RIEN

L'amour avec toi ? J'ai sacrifié ma liberté pour une liaison des plus douces : tes mains me lièrent au ralenti, mon cœur m'isolant domicile dans le tien et toi m'isolant du monde dans une cage dorée.

Étranger, ton aura était si gratinée que notre charme a aussitôt interagi, sans savoir encore qui nous bénirait. Je te nimberai moi aussi de mon amour, ô mon bien-aimé.

À personne je n'avais dit ces mots : retenons la nuit ! Les autres ne nous gêneront pas, laissons-les dehors. Ils se les gèleront, mais tant pis, car ce soir je sais que j'ai trouvé en toi mon alter ego.

LIAISON

ISOLANT

ÉLISANT

RALENTI

LIÈRENT

LIBERTÉ

ALTER EGO

GÉLERONT

GÊNERONT

RETENONS

PERSONNE

BIEN-AIMÉE

NIMBERAI

BÉNIRAIT

INTERAGI

GRATINÉE

ÉTRANGER

« Madame la dentiste, le mal macéra longtemps en moi : je n'ai pas respecté le Carême ma dent est toute cariée. » Coup de foudre, tu me dis aussitôt : « Je veux être ta chérie. »

CHÉRIE

CARIÉE

CARÊME

MACÉRA

MADAME

À vous de jouer !

Comment passer du NOIR au ROSE ?
du VIDE à la JOIE ? du NÉANT à l'HYMEN ?
de l'ENNUI à la FOLIE ? du FROID au CHAUD ?
de COLLÈGUE à AMOUREUX ?
ou d'un prénom à un autre… à condition
qu'ils aient le même nombre de lettres.

197

Petit lexique de néologismes amoureux

Quand on s'aime, les mots paraissent fades et éculés. Comment, avec le même verbe, peut-on aimer à la fois un film, une coupe de cheveux, un sucre dans son café... et son époux/se ? La langue semble bien pauvre. C'est le moment où jamais de lui faire faire des petits. En voici quelques-uns ; à vous d'inventer les vôtres. Et, si vous êtes les deux seuls à vous comprendre, où est le problème ?

AMOUERTUME : sentiment mêlant envie, tristesse et tendresse que l'on éprouve en méditant sur l'amour des autres ou sur ses amours d'autrefois. « *Heureusement que Jean-Mi est venu inviter ta sœur à danser après la pièce montée ; elle était en train de verser dans l'amouertume.* »

AUTEL PARTICULIER : petit coin secret où l'on conserve les traces de ses amours (lettres, photos, souvenirs...). « *J'ai retrouvé au grenier l'autel particulier de ma grand-mère. C'est très touchant.* »

AZAIMER : aimer tout de l'autre, de A à Z. « *Je t'azaime.* »

BÉCLOT : petit baiser du soir, celui qui clôt la journée. « *Allez, donne-moi un petit béclot.* »

BULTRAVIOLETTE : bulle fictive dans laquelle s'isolent les amoureux des bancs publics quand ils sont sur une longueur d'ondes commune et perceptible par eux seuls. « *Ni les cris des enfants ni les œillades du gardien de square ne venaient entamer la bultraviolette dans laquelle ils étaient enlacés.* »

BYMER : dire à l'autre qu'on l'aime à l'exception de toutes sortes de petites choses, soit aimer de B à Y et non de A à Z. « *Il a commencé à me bymer, il n'aimait plus mon chat, mes lunettes ni mes frites : j'ai compris que c'était fini.* »

CHAMADE : mot à fort coefficient de sympathie, que tout le monde utilise sans en connaître le sens, sinon quand elle est battue : « *Son cœur battait la chamade.* » Fait partie des termes connus par cœur.

CHTADOR : voile qui désigne ce qu'il est censé cacher, utilisé par les femmes dans les jeux amoureux. *« Dans cette région, les femmes ne se soustraient pas aux yeux des autres hommes, mais bien à ceux de leur amant pour entretenir son désir. Elles portent le chtador. »*

CLIGNOTIS VAGINUS : terme médical désignant les légers spasmes utérins que peut éprouver une femme au souvenir de rapports sexuels satisfaisants. *« Le lendemain de Saint-Malo, je me suis fait un clignotis vaginus dans le train, tu ne peux même pas imaginer ! »*

C.O.I.T. : Congé pour Obligation Intime Temporaire, période de vacances réclamées par le syndicat des amoureux, arguant d'une indisponibilité professionnelle inhérente à l'état amoureux. *« Je suis à toi cette semaine : mon patron m'a accordé un C.O.I.T. »*

CUPIDONNER : offrir un petit cadeau par amour (un cupidon).

DÉSIRULINE : substance volatile sécrétée par l'hormone du désir perceptible par autrui sans médiation par la conscience, qui fait qu'une personne en état de désir amoureux suscite le désir chez un tiers, même quand on ne fait que la croiser dans la rue. *« La désiruline devait faire son petit effet, car je me suis fait interpeller par trois hommes successifs sur le chemin qui menait vers toi. »*

DOUX-LOUREUX : coloration du sentiment équivoque éprouvé par les amants désunis. *« Ton souvenir m'est doux-loureux. »* À noter : à la différence de « doux-amer », l'adjectif « loureux » n'est jamais employé seul, et heureusement.

EMBRAISER : exciter le désir par des baisers brûlants. *« Quand il entra dans la pièce, elle avait les joues en feu. Visiblement, on l'avait embraisée. Il regarda derrière les rideaux… »*

ÉROSCENTRIQUE : caractère de celui ou celle qui ne pense plus qu'à son amour, au point d'en faire le centre du monde. *« Natacha est devenue complètement éroscentrique. Je n'en peux plus de l'entendre parler de son Nicolas. »*

FAIRE CATLEYA : faire l'amour, en commençant par caresser la gorge de sa partenaire sous prétexte d'y arranger un brin de fleurs, selon l'expression utilisée par Swann et Odette, dans le roman de Proust. Peut être remplacé par une autre espèce florale.

FRUSTRATOR : nom propre désignant l'ennemi qui surgit toujours au mauvais moment. « *Oups, rattache vite ton soutien-gorge, Frustrator est de retour !* »

GAPOLER : galoper mentalement à deux vers le futur en mettant la charrue avant les bœufs. « *À peine m'avait-il embrassée que l'on gapolait tous les deux en riant, parlant déjà d'enfants et de voyages.* »

IVRELLE : ivresse d'elle. Au masculin, ivril. « *Incapable de se concentrer, il prenait un retard considérable sur son travail. L'ivrelle allait finir par lui jouer des tours.* » Variantes langage fam. : dinguedelle et dinguedil.

LOVITER : avoir la sensation de voler sur un petit nuage du fait d'un état amoureux propice à la légèreté. « *Quand je suis rentrée de chez lui, je ne touchais plus terre, j'étais en totale lovitation.* »

MASQUE CARDIOFACIAL : effet positif sur le teint opéré par les joies du cœur. Beaucoup moins nuisible que le masque de grossesse. « *Dis donc, tu as une mine superbe. Et ne me fais pas croire que c'est le soleil : je sais encore reconnaître un masque cardiofacial !* »

NOIR DÉSIR : couleur des pupilles quand elles sont dilatées sous l'effet des substances psychoactives libérées par l'état de désir amoureux. S'accompagne généralement du rouge pommette. « *Il braqua sur elle des yeux noir désir qui en disaient plus que de longs discours.* »

NOUSDEUX : anciennement deux mots qui n'en forment plus qu'un, désignant l'unité insécable ainsi créée. « *Tu crois que tes parents ont compris, pour nousdeux ?* » Variante : toietmoi.

ŒUFS DE CHIMÈNE : poitrine féminine gonflée sous l'effet du désir. S'emploie dans l'expression « *avoir les œufs de Chimène pour quelqu'un* ». « *Dès qu'elle le vit s'approcher, elle eut pour lui les œufs de Chimène et ce détail ne passa pas inaperçu.* »

OLFACTIVER : s'activer à rappeler le souvenir de l'être aimé uniquement par les traces de parfum qu'il a laissées sur soi. « *Je me suis couché avec ton écharpe pour t'olfactiver avant de m'endormir.* »

ONOMASTIC : forme d'adhésif pâteux produit par le cerveau amoureux visant à rendre sacré tout mot en rapport avec l'être aimé. « *Le souvenir de Roberto était si vif que le seul mot de Crémone, d'Italie, voire de spaghetti suffisait à m'émouvoir. Je nageais en plein onomastic !* »

PULPOMORSE : langage codé entre amoureux impulsé par le bout des doigts dans la main de l'autre, à l'insu de l'entourage. *« Il m'a fait du pulpomorse pendant tout le film, je n'arrivais plus à suivre l'histoire. »*

RAIL-AÏE-AÏE : bout de chemin qu'un couple décide de parcourir ensemble malgré le risque pressenti. *« Lui et moi, on ne savait pas où on allait, mais on y allait. Aucun de nous n'osait parler de rail-aïe-aïe : de toute façon, il était trop tard pour reculer. »*

LOVONLY : nom d'origine américaine donné au régime dont sont friands les amoureux, consistant à se nourrir uniquement d'amour et d'eau fraîche, et qui a le plus souvent des effets amaigrissants. *« J'ai tout essayé : Weight Watchers, Montignac, hyperprotéiné… Mais le seul qui m'a vraiment fait perdre du poids, c'est le régime Lovonly. »*

RICORÉ : petit nom gentil donné à la trique du matin, parce que : *« Il vient toujours au bon moment, avec le pain et les croissants, l'ami du petit déjeuner, l'ami Ricoré. »*

SEMPERZYGOTE : se dit d'un visage illuminé de façon continue par un sourire trahissant un état amoureux, par opposition aux sourires liés à un événement ponctuel. *« Et l'autre, tu l'as vue, avec son diamant au doigt et sa face semperzygote ? »*

SIMILIENS : liens par similitude que tissent les amoureux, avides de donner du sens à des coïncidences qui les rapprochent. *« Nous aimions tous les deux la musique grecque, l'Oulipo et les pistaches : chaque jour, de nouveaux similiens nous confirmaient que nous étions faits pour nous rencontrer. »*

STOMAX AMORUM : variété de papillons qui nidifient exclusivement dans le ventre des amoureux émus.

T.O.I. : Troubles Obsessionnels de l'Identité qui affectent les amoureux, caractérisés par l'obsession de l'autre que l'on voit partout, dans les images vues, à travers les lignes lues, dans les discours entendus… *« On dit que tous les chemins mènent à Rome. C'est faux : les miens mènent à Rose. Je sais maintenant que je suis affecté de T.O.I. compulsifs. »*

Si ces définitions vous ont fait sourire, sachez qu'elles ont amicalement contribué au *Niveau dictionnaire amoureux* de Frédéric Ploton, dans lequel vous en trouverez beaucoup d'autres (www.ma-editions.com).

Les petites phrases des collègues

Vous vous souvenez de la série française « Le Bureau », avec François Berléand dans l'excellent rôle du patron qui essaie d'être drôle ? Des aspirants comiques, on en a tous connu au bureau, par exemple ceux qui recyclent de vieilles blagues télévisuelles, avec quelques années de retard. Et avec plus ou moins de réussite… Quelques exemples glanés dans la vie réelle, à compléter par vos soins. Il suffit souvent de tendre l'oreille.

« J'ai les stat' ! Y a 27 % de merde dans ce que tu fais ! »

« Toujours la flemme, les gars ? Y a eu un arrosage du baobab impressionnant, on dirait ! »

« Putain, je te jure que je vais les faire rentrer dans la seringue ! »

« La miss Pompon, si elle a un truc qui la gratouille, qu'elle vienne me voir ! »

« Y'a pas à torturer le bébé, faut y aller ! »

« Soit tu es leader, soit tu es suiveur. Soit le mec goûte la piscine, soit tu plonges. »

« Je te cache pas qu'on est short pétrole question planning. »

« Eh ! Oh ! Back to reality les girls ! »

« Celui-là, il commence à me chauffer fort sous les bras ! »

« Je vais finir par lui en mettre une, à l'autre face de burne. Et une autoreverse en plus ! »

« Dis donc, ton texte, tu l'as tapé avec tes moufles ou quoi ? »

« Pffff ! On s'en bat les couettes. »

« Salut les filles ! Et vivement ce soir qu'on se couche, hein ? »

« Y a baleine sous gravillons. »

« Allez, j'y vais : j'ai un Snickers qui pousse. »

« – Il est où ?
– Dans ton cul, au fond à droite. »

« Et mon cul, c'est du poulet ? »

« Ça sent le poney grave. C'est qui le big porc qu'a lâché une caisse ? »

« Tu as un problème de bits ? On peut en parler. Ce n'est pas sale. »

« J'ai la patate à faire peur à la pile alcaline. »

« Et mes couilles sur ton nez, ça fait des lunettes ? »

« J'y capte Z, c'est le grand n'importenawak. »

« Je sais pas, là. Il est encore trop tôt. »

« Un truc de ouf ! Tu me perfores l'anus, là ! »

« Merci beau cul. »

« Tu rigoles des genoux, là ? »

« Ceux qui déblatèrent dans mon dos, mon cul les contemple. »

« Y se mouche pas avec du PQ, ç'ui-là. »

« Alors là, tu chies dans la colle, man. »

« Ça s'est joué à un poil de grenouille. »

« Celle-là, elle doit pas se prendre pour la queue d'une poire ! »

« Dis donc, je te sens chaud comme une baraque à frites. »

« Hey, tu connais la blague du con qui dit non ? »

« Dis donc, le nouveau, il a pas la lumière à tous les étages… »

« C'est cela, oui… »

« Allez, j'y vais : j'ai la taupe au guichet. »

Leurs premiers jobs

*Puisque Alain Delon a commencé comme charcutier et Mary Higgins C
hôtesse de l'air, rien ne vous empêche de vous rêver un jour en haut a*

Alain Delon

Très indiscipliné à l'école, il parvient tout de même à décrocher
charcutier. Après quatre ans engagé dans l'armée, il devient dé
Halles, puis rencontre Jean-Claude Brialy, qui lui ouvre d'autres p

Michel Drucker

Titulaire d'un diplôme de sténodactylo et d'un brevet d'enseigne
mercial, il débute à l'ORTF comme porteur de valises de Léon

Sheila

Tout en aidant ses parents à tenir leur boutique de confiseri
d'abord une formation pour devenir comptable.
C'est aussi le premier métier de René Goscinny, le père d'Astéri

Marilyn Monroe

Comme on ne coche pas « sex symbol » sur les fiches d'orientation professionnelle, elle a commencé sa carrière dans une usine, comme vérificatrice de parachutes : c'est même de son poste à la chaîne qu'elle attirera le regard du premier photographe.

Harrison Ford

Charpentier pour les décors de films, il est appelé par George Lucas pour donner la réplique aux comédiens venus auditionner pour le rôle de Han Solo... jusqu'à le décrocher lui-même.

Clint Eastwood

Après avoir été mécanicien, bûcheron, métallurgiste, pompiste et pompier, il se destine à devenir professeur de natation, jusqu'au jour où il accompagne un ami à un cours de théâtre...

James Dean

D'abord gardien de parking, il se fait voiturier à la radio CBS afin de se faire remarquer par un producteur.

Gérard Depardieu

Fils d'un tôlier-formeur, il travaille dès l'âge de 13 ans, d'abord comme plagiste sur la Côte d'Azur, puis comme vendeur de savonnettes, avant d'intégrer une imprimerie.

Muriel Robin

Après deux échecs au baccalauréat, elle se résout à vendre des chaussures (dans la boutique de ses parents), un point commun avec Julia Roberts, qui a également tâté du McDo.

Georges Brassens

Renvoyé de l'école à 18 ans, il devient apprenti maçon bien avant de s'acheter sa première guitare.

Brad Pitt

Avant de défiler comme mannequin, il parade en homme-sandwich vêtu d'un costume de poulet à la gloire d'une chaîne de fast-foods.

andin basnoda a une

Les mauvaises réponses :

• Andin n'a pas de chance.

• Le correcteur de cette maison d'édition n'a pas été fichu de corriger les majuscules, l'accent et la ponctuation.

• Perec utilise un registre de langue grossier : pourquoi ne pas écrire plutôt qu'elle sent ?

• Et d'ailleurs, d'où Georges détient-il des informations aussi intimes sur Mme Basnoda ?

• Andin, ce n'est pas courant comme prénom.

• Basnoda, on dirait une anagramme. Après vérification : oui, ça donne « abondas ». Et alors ?

• Ce n'est même pas un alexandrin, ou alors il faut prononcer le « e » muet de « épouse ».

• Cette phrase possède une jolie construction en miroir d'une allitération de dentales (d) et d'une allitération de labiales (p).

• Et est-ce que quelqu'un a demandé son avis à Mme Basnoda sur l'odeur de son mari ?

• Ça y est, j'ai trouvé ! Perec était un ami de Queneau : c'est donc la réponse à la question de Zazie « Doukipudonctan ? » (premier mot de *Zazie dans le métro*).

epouse qui pue

pffffssssssssccchhhhhhbttr

La bonne réponse
• Hélas, elle pue non seulement à l'endroit, mais à l'envers aussi. C'est un cas de palindrome vertical…

207

Rien à glander cet après-midi ?

Et si vous écriviez une lettre à quelqu'un… à qui vous ne pensiez pas écrire ce matin ?
Par exemple Bill Gates, Jeanne Mas, Mᵐᵉ de Fontenay, Woody Allen, Tabatha Cash ou
le dalaï-lama, par exemple ? Mais nous avons aussi en magasin Pierre Bellemare, Dave,
Julio Iglesias et Ornella Muti. En effet, pour vous faciliter la tâche, nous avons réuni quelques
adresses utiles et variées, parfois électroniques, parfois postales, pour varier les plaisirs.

Dalaï-Lama
84, Boulevard Adolphe-Pinard
75014 Paris

Ornella Muti
33 via Porta di Pinta
24100 Bergame

TOWER PHOTO SERVICE
DALLAS TEXAS

Dave St-Florentin
10 rue St-Florentin
75001 Paris

UNIVERSITÄT
ZU KÖLN
Tel. 02 21/4 70-0
Lindenthal
Albertus-Magnus-Platz
50923 Köln

DÜSSELDORF
- 4. 5. 07
40193

0055
F710647

Mathieu Amalric
5, Rue Clément-Marot
75008 Paris

José Bové
81, Av. de la République
93170 Bagnolet

Alain Delon
4, Rue Chambiges
75008 Paris

Jeanne Mas
1, rue Garnier
92200 Neuilly-sur-Seine

Benoît XVI
benoitxvi@vatican.va
Patrick Bruel
opendisc@patrickbruel.com
Annie Cordy
annie-cordy@annie-cordy.com
Bill Gates
billg@microsoft.com
Véronique Jannot
contact@veroniquejannot.com
Madonna
webmaster@madonna.com
Georges Moustaki
moustaki@fr.fm
Michel Polnareff
michel@polnaweb.com
Hubert-Félix Thiéfaine
webmaster@thiefaine.com
Geneviève de Fontenay
mail@genevievedefontenay.com
Pamela Anderson
pamela@pamelaandersonlee.com
Georges Clooney
gclooney@aol.com
Brad Pitt
bpitt001@aol.com

Emmanuelle Béart
10, Avenue George-V
75008 Paris

Woody Allen
8942 Wilshire Blvd
Beverly Hills
CA 90211

Gina Lollobrigida
Via Appia Antica
223 I-00178
Rome

LEICHT TRENNBAR
EASY TO SEPARATE
FACILEMENT DISSOCIABLE
EENVOUDIG TE SCHEIDEN

1
B

EXPRES
AVION

Charles Aznavour
9, Chemin du Plongeon
CH 1207 Genève

209

R N°

Test de QI

« L'intelligence est une machine à fabriquer des systèmes d'abstraction », *dispo...*
psychologue et philosophe Henri Delacroix. Voyons donc si votre *machine n'est...*
grippée par des années de routine. Les solutions au test ci–dessous ne sont pa*s...*
quées. Si vous ne trouvez pas, demandez à vos collègues, c'est un joli sujet de *déan...*

Il est absurde de contester qu'il est faux de disconvenir que ce dossier est en souffrance.

- ☐   Ce dossier est en souffrance.
- ☐   Ce dossier est bien portant.

Je désavoue ne pas affirmer que je prétends ne pas avancer que je hais Rodrigue.

- ☐   Je hais Rodrigue.
- ☐   Je ne le hais point.

Je ne garantis pas qu'il est indéniable de nier le contraire de la véracité de mes dires.

- ☐   Je mens.
- ☐   Je dis la vérité.

Le DRH refuse de démentir sa certitude de douter de la fausseté de mes allégations.

- ☐   Le DRH pense que j'ai raison.
- ☐   Le DRH pense que j'ai tort.

On a réfuté la preuve de la négation de la certitude que les chats ne s'abstiennent pas de manifester de la répugnance pour les chiens.

- ☐   Les chats apprécient les chiens.
- ☐   Les chats n'apprécient pas les chiens.

La table des dix
commandements du chef

Non, ce n'est pas de l'hébreu.

I. YAKA

II. YAVEKA

III. YAKAPA

IV. YORAKA

V. YAPLUKA

VI. YRESKA

VII. YZONKA

VIII. YFODRI

IX. YNOUFIU

X. YENAPA

Quand on a l'en-tête dans le c...

Cette page n'a rien de drôle : elle compile simplement des logos d'entreprise comme vous en voyez passer toute la journée sur les courriers à en-tête. Sauf si vous avez l'esprit vraiment mal tourné.

llwether

Login

DODGE

DW

1-3-1039, KAVADIGUDA
HYDERABAD - 500 080. A.P.
TEL : 7531821, 7531414
FAX : 040 - 7530140

Modern
Malmö

Tvätt AB
040 - 14 07 30

The
Comp ter Doctors

ngton
diatric
Center

We make computers work for you.

Arbgs.

215

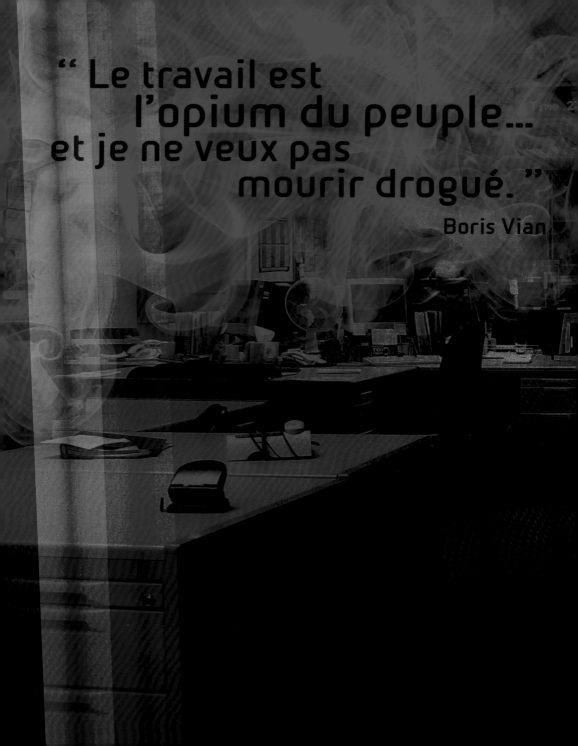

" Le travail est
        l'opium du peuple...
et je ne veux pas
            mourir drogué. "

Boris Vian

Le piège du labyrinthe alphabétique

Le jeu consiste à suivre toutes les étapes de l'alphabet, de A à Z, en se déplaçant sur les cercles ou sur les rayons, mais il est interdit de traverser le Z. Y arriverez-vous du premier coup ? Si oui, vous êtes très fort… ou un peu menteur.

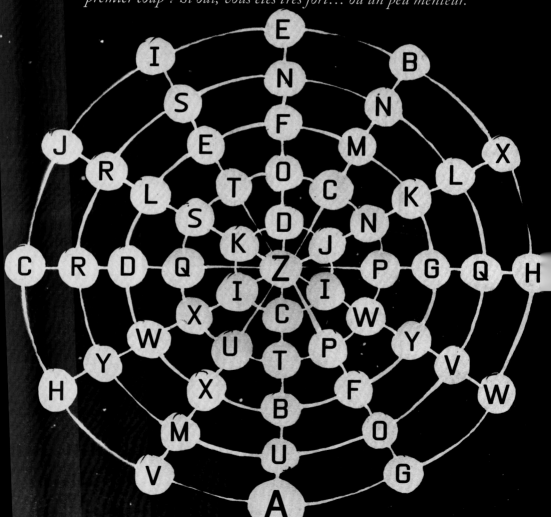

Vous avez réussi du premier coup ? Vraiment ? Avez-vous choisi le B qui est juste au-dessus du A ? Si oui, vous avez forcément été bloqué quand vous êtes arrivé à la lettre X. C'est toute la frustration de ce jeu : si l'on prend le chemin le plus évident en première étape (comme la plupart des joueurs), on pense être plus fort que la moyenne en parvenant tout près du but, et on reste bloqué sans issue à partir de la lettre X. Le salut est donc de commencer par le chemin le plus long, en choisissant l'autre B. Proposez le test à vos collègues : une grande majorité d'entre eux tomberont dans le panneau.

Poésie informatique

Non, « l'outil informatique » n'est pas seulement une machine sans âme qui ne pense qu'aux bits : à l'intérieur, vibre une carte mère d'une grande sensibilité, dotée d'une mémoire impressionnante. Si dur est le disque, tendre en est le cœur. Pour peu que l'on sache lire entre les lignes de ses messages, on découvrira parfois des trésors de poésie. Deux exemples 100 % authentiques sur ces pages. À gauche, un joli texte de malfrats se faisant passer pour PayPal, faisant un usage ludique et coloré des traducteurs automatiques, et que vous aurez peut-être un jour la chance de recevoir par mail : une véritable « novlangue » qui n'aurait pas déplu à Orwell ou aux surréalistes. À droite, la fameuse erreur 404, génératrice de codes aussi fascinants que mystérieux.

Nous avons récemment noté qu'une ou plusieurs tentatives de noter en votre compte de PayPal d'un IP address étranger. Si vous accédiez récemment à votre compte tout en voyageant, l'ouverture peu commune dans les tentatives a pu avoir été lancée par toi. Cependant, si vous êtes le titulaire légitime du compte, clic sur le lien ci-dessous à noter en votre compte au cours de la période mentionnée ci-dessus.

Si vous choisissez d'ignorer notre demande, vous ne nous laissez aucun choix mais pour suspendre temporaly votre compte. Nous demandons que vous accordez au moins 72 heures pour que le cas soit étudié et nous recommandons vivement de vérifier votre compte dans ce temps.

3_b|*ª_x*___d*rs_____=*Gö_cªY_úSkP_*_*G_*H_r_3(`_Xzè*ú/
à?Ü_Ω___¥K≤Gö_óé)¢à*Q@**Q@*S_yL_å`ücu___*_*X≥*****
Lm»__]L_hl.ÿ<ª;Ö*3___0__Lr*_PG'_°Ω__S___±=_åBå[}*wiè____
=_¿$`_&7_*_Ω__Q\_S_____t_#*_xZ*_*~Cr÷_ô*vdFé_C_*_$≈5v*_e
_Æ*c_Fè∞ñtV,*_OBo__*°X___.x_*s_±5__Yu_GR_è__*PC___ñ_
ūv_0_&X_è**é=_ùZ]>'Çc_*_á∞ê/≈_*î*_<£±__ÖZ_`_?°)f_eü_*+_·*°ç
3_±5__q__%≈3_÷_____≤=«°a_MΩ_êé_`ü_*£≈÷_*_n__M*Ko_*Hf_
GTx___|_{à__*àèfi__?_Ö5*__H____2[__≥ù_#vN8*_#*k_
ß2___áÔê___S?____*_5≤<5u___*._¥n}**õ`___]____;_**}
óV._*_U_û%W*∞*_î____<*_ÇàæCz_î_å__ek_@f*__ª&_f@ÿ_ZtΩÆ»
_m*àæ:_A_)_*PzVy*'3j9,|,Æ_NÑ__P°*∞Özè(»Ñ8Bè(á_[K$_:^_Dj_îFï*Tl
_*Rw*rW_____*X[_O*ûÜ_<r21ÃC_æ_**+,EXz*H=_á_c_$≥_nj-±¥_}_M_
ª1ë**_lf_*Ωk__%EB>_-·4_8___3__°£__&*w__°ç_**_f»xb_5=[Q__è*
»ü__Ū_*ö£,¬ñÇ*y**_ÑV__c_C__≥_ß¥kRäô≤Æk_Q_°*Wñ_ç_+_y*ê**7
ò%ñ_7*_≥èç__nO*_Ep__@_*_è≈_ìWói_≥(?_qù_q_**T__**_ö
ÜÅ^_ä»°*eö)_>Km_zú3√a?_*_*_*^___±¬_]*_*____¢áî_*Fϖ*8è`fP@
é_Zå*d*_≥_NI]ÿ*v_ī___ôæî*4P&»__¢XKù[;>X*6__»*9_êÿ*s___·*l
3u=Ω=f____;V_*m{¿úÖ_9%)*0*j___$E_$**._ä*_i._:]£≤òÆiaGw√3
báô_9/*?__ò_y*_ī_**á_a_≈[m_*_____¥W__æ_√_
Gh__*U,H*_____{_~B_6'≈W≥«yuY_ß*m4XÑ__h;_*_1___>j¥__d_
É<__*_*__`j___)_*)&Äs√F≈_____i*_7_≤_s____[_k_
f;o√__ßG÷uù____Ñ_·_»S_C_¥Oµ3_Ñ_*4j#__T°yb[_9«W√B≈
z_X__∞l_*,ï*_qáYÃ_cp*___éj_*=_*r}*QBã¬0*T_Y>#/£°Z»:j__R_
xÿVIF6__QE]!_*QE*QE*QE*QE*QE*QE*QE___$$recO$$_ÿü_$$Rec_
o$$MetaData***_z;;;;;;;;;;{{{{{{{{{{{;;ù{{{{{{{{{{;;;;;;;;;;;{{
+++++++++{{;;;;;;;;;;;{_____{_Z+++++++++{;;;;;;;;;;;;{___{{_*+
Z+++++++++{;;;;;_;;;;;{____~____{_Z+++~++++{;;;;;;;;;;;;{____{_
{_Z+++~~~+++{;;;;____;;;;{_~~~~___{_Z++~~~~+++{;;;;____;;;;{_~~~
~~~~~~~_{_Z+~~~~~~~++{;;_____;;{_____{_Z++~~~~~~+++{;;;____;;;{
+{;;;;;;;;;;;;{____{_Z+++++++++{;;;;;;;;;{_¿¿¿¿¿¿¿¿¿_{_Z~~~~~~~~~
;;;;;;;;{{____{{__nZZZZZZZZ*ù;;;;;;;;;;;{{{{{{{{{{{;;_____$$recO$$*;b$
$Reco$$TextStri**k*_'$$recO$$*<_$$Reco$$TextStri**i*_%$$recO$$*<
$$Reco$$AuditTra****o_*Inspiration«_7_((77))_7/15/2002_Windows_[x1]
7/15/2002_9:52_AMInterim_[x0]_0/0/00Inspiration«_7.6_((09))_12/2/2004
Windows_[x10]_12/18/2006_11:55_AM$$recO$$**__$$Reco$$Documen
t***

404 – Not Found

Cherchez l'erreur !

VIDEO

SEXSHOP

SCARLETT

DVD SHOP

SEX

PEEP SHOW

CINEMA X

DVD 2€ PEEP SHOW

SEX SHOP

SD

ZAPPING
2.€
PROJECTIONS

GRAND CHOIX

SEX SHOP

PROJECTION VIDEO

PEE SHO

4€

CHAQUE SEMAINE
TOUTES SPECIALITES
HOMOS
LESBIENNES
FETICHISTES
AMATEURS
ZOOPHILIE
ANAL
GROS-SEINS
SADO-MASO

PORNO SHOP

Acceptez-vous
de prendre pour époux...

Prendre un mari, c'est prendre aussi son nom, ou du moins le transmettre à ses enfants. C'est parfois là que le bât blesse, s'il n'a pas déjà émoussé l'enthousiasme initial. Souvenez-vous de la mère des jumelles dans Les Demoiselles de Rochefort, *qui avait refusé d'épouser le charmant Michel Piccoli parce qu'il ne s'appelait pas «Piccoli», dans l'histoire, mais «Monsieur Dame». Il y a pire. Vous verriez-vous en madame Lacrotte, au bras d'un Groslard ou avoir pour filles des petites Bite ? Pour que vous puissiez évaluer votre part de risques, nous avons calculé le nombre d'adultes que vous pourriez rencontrer en France (plus exactement, le nombre de naissances pour ces patronymes entre 1916 et 1990). Bonne chance !*

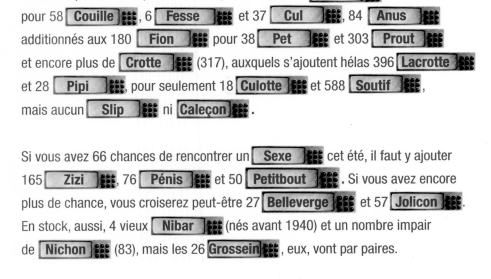

Parmi les petits mots qui font mal, il y a en France 4 **Bite** pour 58 **Couille**, 6 **Fesse** et 37 **Cul**, 84 **Anus** additionnés aux 180 **Fion** pour 38 **Pet** et 303 **Prout** et encore plus de **Crotte** (317), auxquels s'ajoutent hélas 396 **Lacrotte** et 28 **Pipi**, pour seulement 18 **Culotte** et 588 **Soutif**, mais aucun **Slip** ni **Caleçon**.

Si vous avez 66 chances de rencontrer un **Sexe** cet été, il faut y ajouter 165 **Zizi**, 76 **Pénis** et 50 **Petitbout**. Si vous avez encore plus de chance, vous croiserez peut-être 27 **Belleverge** et 57 **Jolicon**. En stock, aussi, 4 vieux **Nibar** (nés avant 1940) et un nombre impair de **Nichon** (83), mais les 26 **Grossein**, eux, vont par paires.

Les **Con** ::: sont moins nombreux que les **Conne** ::: (10 pour 97);
et les **Mou** :::, plus rares que les **Molle** ::: (26 pour 3 129), mais c'est
sans compter les 69 **Connard** :::, les 276 **Couillon** :::, les 16 **Andouille** :::,
les 186 **Nigaud** ::: et les 128 **Brute** :::. Côté féminin, pas facile de jouer
les divas quand on fait partie des 81 **Pétasse** :::, des 35 **Garce** :::,
des 6 **Dinde** :::, des 75 **Poule** :::, des 11 **Frigide** :::
ou des 183 **Godiche** :::.

Mais les vrais risques statistiques sont de tomber sur un **Crétin** ::: (3 334),
un **Boudin** ::: (4 627), un **Benêt** ::: (2 106), un **Vilain** ::: (4 579),
un **Bâtard** ::: (3 102), un **Cocu** ::: (2 463) ou un **Cochon** ::: (1 332
+ 116 **Porc** :::).

Ayons donc une petite pensée compatissante pour les 34 **Assassin** :::
innocents, les 423 **Salaud** ::: et les 4 **Fumier** :::, qui n'avaient pas mérité
ça, pour les 174 **Malcoiffé** :::, les 22 **Malfaisan** ::: et les 13 **Groslard** :::
injustement décriés, pour les 74 **Grosmollard** :::, les 65 **Tordu** :::,
les 127 **Lourd** ::: et les 107 **Balourd** :::. Que feriez-vous si vous receviez
le CV de l'un des 7 **Guignol** ::: ou des 4 **Frankenstein** ::: ? Ne croyez-vous pas
qu'ils peinent à se faire engager, les 2 **Débile** ::: et les 79 **Têtevide** ::: ?

Alors, finissons par de bonnes nouvelles : il n'y a que 2 **Méchant** :::
pour 41 878 **Gentil** ::: (même si l'on n'est pas à l'abri de tomber sur l'un
des 203 **Cruel** :::). Pour entamer une grande histoire d'amour, cherchez
les 118 **Chéri** ::: et les 93 **Chérie** :::. Mieux que ça, sachez qu'il se cache
quelque part en France 47 **Batman** :::, 5 **Tarzan** ::: et 1 **Zorro** ::: !

Quel est le point commun à tous ces objets ?

- Aiguilles à tricoter
- Allume-feu
- Arc
- Armes en jouet, y compris robot
- Bâtons de ski
- Batte de base-ball
- Batterie de voiture
- Bombe anti-agression
- Boussole
- Bouteille de plongée
- Bouteille de gaz
- Canne à pêche
- Ciseaux
- Clé à molette
- Chalumeau
- Club de golf
- Combustible liquide
- Compas
- Couteau
- Cutter
- Déodorant
- Dynamite
- Eau de Javel
- Épée
- Essence pour briquet
- Étoile de lancer
- Extincteur d'incendie
- Flèches
- Forêts
- Fouet
- Fusée d'artifice
- Fusée de détresse
- Fusil de chasse
- Gourdin
- Grenade
- Hache
- Harpon de plongée
- Insecticide
- Kérosène

- Lance-pierre
- Laque
- Lessive
- Lot de briquets
- Marteau
- Massue
- Matraque
- Menottes
- Nunchaku
- Pagaie de canoë
- Patins à glace
- Peinture
- Perceuse
- Pile
- Pince à ongles
- Piolet d'alpinisme
- Planche à roulettes
- Poison à rat
- Queue de billard
- Raquette de sport
- Rasoir
- Réchaud
- Robot mixeur
- Rochers ou cailloux exceptés utilisés dans le jeu de go
- Sabre
- Scalpel
- Scie
- Térébenthine
- Tire-bouchon
- Torche à gaz
- Tournevis
- Tringle à rideaux
- Tube au néon
- Vaporisateur de gaz poivré

Réponse : c'est la liste de tout ce que vous ne pouvez pas garder dans votre bagage à main pour voyager dans la cabine d'un avion. Dommage, vous qui rêviez tant de garder votre queue de billard avec vous…

Lexique anglo-arnaque des brochures touristiques

Il y a des traductions de l'anglais que ni le Harrap's Mini ni le Robert & Collins de poche ne vous fourniront, ce sont celles qu'il faut lire entre les lignes des brochures touristiques. Si vous êtes déjà tombé dans le panneau, nul doute que ces précisions vous feront sourire.

Swindler's Hostel

✳ *not included.*

Si vous lisez...	comprenez...
Standard	bas de gamme
Comfort class	économique
Deluxe	standard avec un chocolat en bonus
Executive	standard avec un bureau et un téléphone
Superior	une charlotte de douche offerte
All the amenities	deux charlottes de douche offertes
Luxury	draps de dessus *et* de dessous assortis
Double occupancy	multipliez par deux pour obtenir le prix de la chambre
Light and airy	pas d'air conditionné
Old-world charm	toilettes au fond du jardin
Quaint hotel	salle de bains au bout du couloir
Rustic accommodations	n'oubliez pas votre tapette à mouches
Ocean view	mer visible depuis les WC, sur la pointe des pieds
Pre-registered rooms	chambres déjà occupées
Heart of the city	quartier qui craint
Historic section	bâtiment délabré
Majestic setting	très loin de la ville
In the liveliest section	rumba au rez-de-chaussée jusqu'à 2 heures du matin
Minutes away	prévoyez un casse-croûte pour la route
One mile away	comptez cinq bons kilomètres
Within walking distance	appelez un taxi
Leisurely transfer	long transfert en bus local
Secluded hideaway	emplacement difficile à trouver
Tropical	pluvieux
Gentle breezes	vents force 3
Undiscovered	désert
Off the beaten path	hors des sentiers battus... et pour cause !
Cosmopolitan	personne ne parle anglais
Unhurried lifestyle	service très lent
Cultural festivals	sketchs joués par des acteurs locaux
Explore on your own	à payer vous-même
No extra fees	et pas d'extras non plus
Nominal fee	supplément astronomique à prévoir
No phones	et même pas d'électricité
Nouvelle cuisine	cher et frugal
Buffet style	pas de service à table, faites la queue pour manger
Open bar	glaçons à volonté

Nos amies les bêtes

Si vos vacances préférées sont celles d'un aventurier en situation extrême, alors procurez-vous l'excellent petit livre de Joshua Piven et David Borgenicht Manuel de survie, *aux éditions Hors Collection. Vous y apprendrez non seulement, comme dans les extraits ci-après, comment faire connaissance à l'amiable avec des espèces difficiles, mais aussi comment sauter d'une falaise, s'extraire d'une voiture qui coule, sauter dans un train en marche ou sortir des sables mouvants. Qui sait si vous n'en aurez pas besoin un jour?*

COMMENT SE BATTRE AVEC UN REQUIN ?

Rendez coup sur coup et frappez-le de préférence sur les yeux ou sur les ouïes. Il ne s'acharnera que s'il se sent en position de supériorité.

COMMENT ÉCHAPPER À UN OURS ?

Ne cherchez surtout pas à courir : un ours court plus vite qu'un cheval ! Il grimpe également très bien aux arbres et il est assez puissant pour mettre une voiture en pièces afin d'y trouver de la nourriture. Une seule solution : restez parfaitement immobile. Un ours attaque rarement quelqu'un qui n'a pas une attitude agressive.

COMMENT INTIMIDER UN PUMA ?

Essayez d'apparaître le plus imposant possible, par exemple en écartant les pans de votre veste ; un puma ne s'attaque pas à plus gros que lui. Agitez les mains et criez pour lui montrer que vous êtes capable de vous défendre. S'il est agressif, lancez-lui des pierres. Le pis serait de fuir en courant.

HELP !

COMMENT LUTTER CONTRE UN ALLIGATOR ?

Si vous êtes sur la terre ferme, tentez de monter sur lui à califourchon et appuyez sur son cou pour qu'il ferme ses mâchoires. Couvrez ses yeux pour le calmer. S'il attaque, répliquez en visant le nez et les yeux. S'il tient un membre dans sa gueule, frappez verticalement sur son museau afin qu'il ouvre ses mâchoires.

COMMENT ÉCHAPPER À UNE ATTAQUE D'ABEILLES TUEUSES ?

Ne vous immobilisez pas, ne cherchez pas à les tuer, ne plongez pas sous l'eau (elles vous attendraient à la surface) : courez à travers les buissons et les hautes herbes jusqu'à trouver un abri (elles peuvent vous poursuivre sur 150 mètres). Si vous êtes piqué, retirez le dard en grattant avec l'ongle, sans tirer dessus ni pincer la peau.

COMMENT FAIRE FACE À UN TAUREAU QUI CHARGE ?

Restez immobile : un taureau n'attaque que s'il est furieux. S'il s'apprête néanmoins à charger, agitez à bout de bras un vêtement ou un chapeau (pas forcément rouge : le taureau réagit au mouvement plus qu'à la couleur) et jetez-le au loin. Si le taureau se jette sur lui, prenez la fuite vers un abri.

L'histoire de la Grande Ourse

à raconter sous les étoiles.

Toute l'histoire commence, si l'on en croit les Grecs, par l'une des nombreuses conquêtes amoureuses de Zeus. Épris de la belle nymphe Callisto (du grec *kallo,* « beauté »), fille de Lycaon, un roi d'Arcadie, le dieu des dieux lui donna un fils, Arcas. Héra, l'épouse de Zeus, furieuse de cette nouvelle infidélité, transforma Callisto en ourse, dans l'espoir que le fils en viendrait à tuer sa mère à la chasse par erreur. À l'instant où cela faillit arriver, Zeus protégea mère et fils en les transformant en constellations qu'il plaça au loin, au-dessus du pôle Nord. La Grande Ourse se distingue à l'œil nu grâce aux sept étoiles très lumineuses qui dessinent une forme de casserole, correspondant à

la queue et au corps de l'animal, les autres étoiles qui la composent étant moins visibles. Elles ont pour nom Dubhe, Merak,
Phekda, Megrez, Alioth, Mizar et Alcor. Pouvoir les distinguer
a d'ailleurs longtemps constitué un test d'acuité visuelle. On
dit même que Gengis Khan le faisait passer pour sélectionner
ses archers. Quant aux ours, ils furent condamnés par Héra
à tourner éternellement en rond autour du pôle Nord.
L'adjectif *arctique*, qui désigne cette région, vient d'ailleurs du grec
arktos, « ours ». Quant au mot *septentrional*, il vient du nom latin
de cette constellation, *septem triones*, « les sept bœufs de labour »,
par comparaison avec ces ours condamnés à tourner en rond...

233

Comment briller
sans lampe de poche, la nuit, autour d'un feu de camp ?

À moins que vous ayez un harmonica, une guitare ou des balles de jonglage, en émaillant votre discours de brillantes remarques, toutes véridiques et insolites. On aurait pu titrer : « Le saviez-vous ? »

Les noix de coco tuent chaque année plus d'hommes que les requins.

Une femme prononce en moyenne 20 000 mots par jour ; un homme, 7 000.

Si vous souhaitez un jour téléphoner en Antarctique, sachez que le code est 672. Le seul problème, c'est qu'il n'y a aucun abonné.

L'Organisation mondiale de la santé n'a retiré l'homosexualité de la liste des maladies mentales qu'en 1993.

On avale en moyenne sa salive 600 fois par jour.

La nicotine est un poison si puissant que, si quelqu'un trempait un crayon bien taillé dans de la nicotine pure et se piquait le bras avec, il mourrait presque instantanément. Quant à la dose mortelle de caféine, il faudrait absorber 100 tasses de café pour l'atteindre... mais ne pas les avoir évacuées entre-temps.

Les femmes turques ont obtenu le droit de vote quinze ans avant les Françaises.

Il est impossible de toucher son coude avec sa langue.

En France, le port de la moustache dans la gendarmerie a cessé d'être obligatoire en 1933.

Les mensurations de Barbie sont 100-60-84.

Il y a plus d'atomes dans une goutte d'eau que de gouttes d'eau dans la mer.

Le seul mammifère volant, excepté Superman, est la chauve-souris.

La disposition des touches sur les claviers a été conçue dans le but de ralentir la vitesse de frappe, à l'époque des machines à écrire, et plus précisément pour espacer les lettres les plus souvent utilisées afin d'éviter la friction des tiges correspondantes.

Le poids moyen d'une femme, toutes populations confondues, est de 61 kg ; et celui d'un homme, de 75 kg.

235

Exercice divinatoire

*Un jeu à pratiquer avec vos amis (un par un, plus exactement).
Prétendez que vous allez être capable de deviner le symbole
correspondant au nombre qu'ils auront secrètement choisi dans
le tableau ci-contre. Attention, si vous voulez faire le coup
plusieurs fois, mieux vaut changer de groupes d'amis.**

La règle du jeu à énoncer

1. Choisis un nombre à deux chiffres

(par exemple, 51).

2. Additionne ces deux chiffres

(exemple : 5 + 1 = 6).

3. Retranche ce résultat au nombre de départ

(exemple : 51 - 6 = 45).

4. Concentre-toi sur le petit dessin qui correspond au résultat :

je vais tâcher de deviner par télépathie duquel il s'agit !

♈	☄	♉	⚇	♍	⚇	♋	♌	☾	♍	♓
1	2	3	4	5	6	7	8	9	10	11
♀	♓	♀	♂	➵	⚓	☽	♒	♀	♍	☉
12	13	14	15	16	17	18	19	20	21	22
☼	☽	♌	♍	☽	♂	☼	♂	♅	☄	♋
23	24	25	26	27	28	29	30	31	32	33
☽	♓	☽	♍	➵	♌	♏	➵	♍	♓	♊
34	35	36	37	38	39	40	41	42	43	44
☽	♄	♊	♀	♂	♄	♒	☼	♄	☽	♂
45	46	47	48	49	50	51	52	53	54	55
♀	♀	♏	☼	☉	➵➵	➵➵	☽	♍	♋	♄
56	57	58	59	60	61	62	63	64	65	66
♍	♅	☼	♊	♄	☽	⚓	♅	♏	♈	♋
67	68	69	70	71	72	73	74	75	76	77
♋	♓	☽	☽	♀	♌	☽	♅	♉	♍	☼
78	79	80	81	82	83	84	85	86	87	88
☉	♋	☄	⚇	♄	♏	☉	➵	☉	♌	♀
89	90	91	92	93	94	95	96	97	98	99

Dictionnaire de mots d'enfants

N'importe quel parent a songé, un jour ou l'autre, consigner dans un petit carnet ces trouvailles langagières dont seuls les enfants et les poètes sont capables. Certains sont allés au bout de leur projet, d'autres ont seulement gardé quelques mots en mémoire, qu'on raconte encore, vingt ans après, dans les fêtes de famille. Les néologismes ci-après ont été récoltés autour de nous ou sur des forums de mamans. Garantis 100 % enfantins.

Agin gras : ce qui attend les enfants et qui parfois commence tôt *(« Ça y est, c'est l'agin gras qui commence ! »)*

Armand : prénom du prince qui vient réveiller Blanche-Neige (le prince Armand)

Aspirateuse : dame de ménage

Au nom du père, du tigre et du juste prix : formule magique prononcée par certaines personnes en même temps qu'elles font la brasse d'une seule main

Baron Ben : petit nom du gros véhicule vert qui mange les ordures, surnommé aussi *« la police des poubelles »*, à cause de son girophare

Barrasser : mettre la table. Antonyme : débarrasser. *(« Ah non ! c'est pas moi qui débarrasse, j'ai déjà barassé ! »)*

Bas-de-laine : petits gâteaux de grand-mère affectionnés entre autres par Marcel Proust

Béliéreau : petit du bélier et de la bélière

Belle au doigt dormant : celle qui s'est endormi le doigt avec une piqûre de quenouille

Bichon : petit de la biche... ou son frère *(« ma biche et mon bichon »)*

Bicyclable : voie réservée aux bicyclettes (faire du vélo sur la bicyclable)

Bidodu : vide-ordures (dodu parce qu'on lui donne beaucoup à manger)

Bifteck : muscle des héros et des papas, situé en haut du bras et qui s'acquiert en mangeant de la viande *(« Superman a des gros biftecks. »)*

Bomburger : hamburger, en meilleur

Borno : qualité des films interdits aux enfants (les films bornos)

Bouclette : femelle du bouc

Boule qui-est-ce : petit bouchon qui empêche d'entendre et qui oblige à poser la question « *Qui est-ce ?* » quand quelqu'un rentre dans la pièce

Boulmanger : celui qui vend du pain en boule

Bouvail : à mi-chemin entre boulot et travail (« *Papa part au bouvail.* »)

Brasserie : là où l'on vend des bracelets

Caddie à bricoles : là où l'on retire des sous pour acheter des bricoles, appelé par les parents Crédit Agricole

Caisse du soir : boîte de nuit

Calisson : ce qu'on enfile le matin à la place d'un chlip

Calouilles : cailloux de plage qui piquent les pieds et ça fait mal

Camitouflé : état d'un enfant paré pour l'hiver, à la fois camouflé et emmitouflé dans sa combimaison (voir ce mot)

Caramboleur : voleur de maison qui casse tout sur son passage

Carte d'antiquité : celle que l'on sort de son portefeuille pour montrer combien on est vieux

Case d'épargne : là où l'on retourne quand on a fini son tour (des magasins) ; proche parent du caddie à bricoles

Casserole : ce qui pousse sur les bras quand on a oublié le mot « *poil* » (« *Regarde, moi aussi j'ai des petites casseroles.* »)

Cauchenoir : rêve terrorifiant que l'on fait quand il fait trop noir dans la chambre

Caverne des pompiers : là où ils habitent, dans l'eau, avec leur sirène

Cérélaï : céréales, en plus facile à mâcher

Chair de trouille : ce qu'on a quand on a très peur (« *J'ai la chair de trouille !* »)

Champignon de cheveux : coiffure à laquelle les grands donnent le petit nom de chignon

Château de crabe : château miniature réalisé sur la plage, même qu'on dirait que ce serait pour les crustacés

Chaussures à petits ponts : chaussures à picots qui servent à jouer au foot, comme Papa, sauf que lui, il a des chaussures à grands ponts

Chenille : partie de l'anatomie située en bas des jambes et qui a tendance à se tordre aussi facilement que l'insecte du même nom (« *Maman, je me suis tordu la chenille !* »)

Cheville : femelle du cheval

Chiens bronzés : petits singes comme Sheeta (les chiens d'Afrique sont très différents des nôtres)

Chiffres mères : tous ceux qui ne sont pas pairs

Chômage : ce que pond la vache et qu'on mange avant le dessert avec un morceau de pain

Chorégraphie : examen que fait une maman enceinte pour savoir si le bébé qui danse dans son ventre est une fille ou un garçon

Chou-fleur de bus : celui qui conduit le bus et qui a une casquette gonflée sur la tête

Coccinelle : maladie connue pour les petits points rouges qu'elle fait apparaître sur les enfants. Syn : RAVICELLE.

Cochonnerie : maison des cochons

Cocotiers : antonyme de mammifère, animaux qui pondent des œufs, à ne pas confondre avec cocotier, l'arbre où poussent les noix de coco

Combimaison : équipement textile grâce auquel on peut jouer dans la neige en ayant aussi chaud que dans la maison **Concuménage** : ménage sans binage *(« Ma grande sœur vit en concuménage. »)*

Confiture de canard : gelée de coing coing

Corbeille : femme du corbeau

Cordelette des anges : nom d'une chaîne montagneuse située au Chili

Cordon musical : ce qui relie la maman au bébé, et par lequel il perçoit le monde **Correctimefaut** : à la fois correctement et comme il faut, mais en encore mieux

Cou de girafe : nom que les adultes donnent curieusement à une épice marron en forme de clou qu'on enfonce dans les oranges, peut-être à cause de sa forme allongée

Couche de jaune : épaisseur de ciel qu'on distingue à peine derrière le bleu et qu'il faut protéger *(« La pollution, ça troue la couche de jaune. »)*

Couteau de brouillon : couteau à bout rond réservé aux petits, pour s'entraîner

Craquoter : bruit que font les dents quand on a froid *(« Je craquote des dents, je veux mettre ma combimaison ! »)*

Creuser de faim : mourir, en moins grave *(« Je creuse de faim ! », variante : « Je crème de faim ! »)*

Croissant : âge que l'on a avant d'avoir 4 ans *(« Moi, j'ai croissant. »)*

Crottoir : le long de la rue, là où les chiens font leurs besoins

Cygne : canard le jour de son mariage

Défréchir : réfléchir en défrichant l'épais fourré des hypothèses

Demoiselles du bonheur : celles qui tiennent le voile de la mariée

Dent-qui-frise : voir Frite à dents

Deuxfini : plus grand que l'infini

Difficilité : difficulté, en plus facile

Dix-huîtres : nombre situé entre dix-sept et dix-neuf

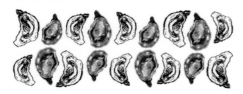

Doctoc : médecin dans lequel on n'a pas une entière confiance

Eau d'artifice : éclaboussures (version liquide du feu tartifrice)

Eau de colonne : parfum viril

Éclamousser : jouer dans le bain

Eddy Cassé : celui dont tout le monde veut la photo (*« Moi aussi, je veux une photo d'Eddy Cassé ! »*)

En mêmesemble : en même temps ensemble et en même temps

Encyclopédie : nom de l'île où vivent les cyclopes

Enquibétante : adjectif propre aux grandes sœurs casse-couilles (en plus poli)

Entojaune : version jaune d'un entonnoir, de même que le pullonoir est la version foncée du pullovert

Escalier-qui-s'écrase : escalator

Essenseur : pompiste

Étoiles d'araignée : comme les toiles, mais plus joli aux yeux des enfants

Fermacie : ancienne ferme reconvertie dans la vente de médicaments

Feu dentifrice : gerbe lumineuse d'un blanc lumineux comme un sourire de publicité

Feutre à débile : crayon des mauvais élèves qu'il ne faut pas manipuler sous peine d'être marqué à vie

Fil électricoté : celui qu'il ne faut pas toucher, surtout quand il est tricoté de petits nœuds piquants

Fontainelle : petit creux mou que les bébés ont dans le crâne et par laquelle ils font rentrer les rêves dans leur tête, afin d'approvisionner la fontaine qui nourrira ensuite toutes leurs nuits à venir, avant qu'elle se referme à tout jamais

Former : métamorphoser à l'aide d'une réglette magique en plastique (*« Abracadabra, je te forme en grenouille ! »*)

Fourteau : couvert fourre-tout à mi-chemin entre la fourchette et le couteau, assez indistinct et inutile, puisqu'on peut tout faire avec une cuiller

Frank Einstein : grand scientifique qui a une tête de fou

Frises : petits fruits rouges qui servent à faire des boucles d'oreilles, presque aussi bons que les sraises

Frite à dents : voir Grosse à dents

Gâchis parmentier : plat trop bon qui porte fort mal son nom

Garçon en C : masculin de fiancée
Gen : singulier de gens (*« J'ai vu un gen faire du vélo. »*)

Genou du bras : coude

Gérard : 1/ marcel (*« Il fait chaud, je veux mettre un gérard ! »*)
2/ petit nom de la sibylline bobinette du petit Chaperon Rouge (*« Tire la chevillette et la bobinette Gérard. »*)

Gigoler : rigoler en gigotant

Gonmolflaire : dirigeable inventé par les frères Gonmolfier

Gouttes d'oreille : petits bijoux qui coulent des lobes

Grain de chat botté : petite tache sombre sur la peau où parfois subsistent les moustaches du chat en question

Grève : ce qu'on attrape quand il fait froid et qui empêche d'aller travaillé (*« La maîtresse n'est pas là, elle a attrapé la grève. »*)

Gros madaire : cousin du chameau et papa du petit madaire

Grosse à dents : accessoire de grand sur lequel on étale du sendifrice (qui sent bon), du tartifrice ou de la frite à dents

Grosse bordure : insulte suprême entendue dans les westerns (*« Jack, tu n'es qu'une grosse bordure ! »*)

Grosses bulles rouges : ce qu'il y a dans le sang, et d'ailleurs ça se voit bien dans les films de guerre

Gruyère raté : râpures réalisées à base de chutes de gruyère entier

Hanneton : petit de l'âne

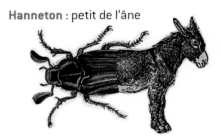

Hibleu : l'une des autres saisons, avec l'hiver (*« Je sais qu'en hiver il faut mettre des chaussettes, mais quand on sera en hibleu ? »*)

Hommes très historiques : ceux qui avaient le droit de dessiner sur les murs

Immourable : qualité d'une maman ou d'un papa (*« Je vous aime trop, ouf que vous êtes immourables. »*)

Indémangeable : tellement bon qu'on ne peut pas arrêter d'en manger (*« Maman, ton gâteau est indémangeable. »*)

Index : le contraire de majeur (*« Moi je ne peux pas voter, je suis index. »*)

Infecticide : liquide infect fatal aux insectes

Inventurier : grand voyageur qui, au besoin, invente quelques aventures presque vécues (le métier idéal avec occupeur d'animaux)

Jacques Pervers : il aime tellement les petits enfants qu'on apprend des poésies de lui à l'école

Jojo La Pique : personnage dont on entend beaucoup parler tous les quatre ans dans le milieu du sport *(« Mais enfin, c'est qui, ce Jojo La Pique ? »)*

Joliciel : jeu d'ordinateur avec joli fond d'écran

Jour à lèvres : stick rouge que les mamans se mettent sur la bouche le matin et qu'elles enlèvent le soir

Kimonal : singulier de kimono

K-Oui : plus poli que K-Way

Lave-Ganistan : pays lointain où l'on lave ses ganistans

Livrairie : magasin de livres, pardi

Maison des cloches : église

Majeur : le doigt qu'on n'a pas le droit d'utiliser pour faire des doigts d'honneur avant sa majorité

Malendroit : caractère de celui qui fait tout de travers *(« Ce que tu peux être malendroit, des fois ! »)*

Mamie Molette : le meilleur des fromages, avec le Mère Dameur

Mamillon : chérie du papillon

Marie aux toilettes : celle qui va sur le trône à côté de Louis XVI

Marronnier : vendeur de marrons chauds

Mimporpecoa : n'importe quoi, mais en pire

Minicaments : ce qu'on prend à petites doses quand on est malade

Minuscopique : mot de grand pour dire petit

Molière : grosse dent du fond

Mon-oncle-poli : jeu de société de grands tendant à prouver que la politesse paye *(« Qui veut jouer au mon-oncle-poli avec moi ? »)*

Mort fine : produit que l'on met dans les piqûres pour soulager ceux qui vont bientôt mourir

Moulin à poulets : rôtissoire

Moulin arrière : cousin du moulin avant

Mousquetaire : voile de mousse dont on recouvre les lits en été pour que les moustiques nous quittent

Nainpurtés : minuscopiques sales thés qui brunissent l'eau

Occupeur d'animaux : le métier idéal. Syn : bétérinaire

Œil au Bernard : cocard

Œuf à la poule : œuf à la coq, en plus logique

Oiseau migrateur : oiseau qui ne peut se gratter que la moitié du dos

Oreveiller : oreiller sur lequel on se réveille de ses rêves

Osculter : ce que fait le docteur, c'est-à-dire tâter les os

Ours scolaire : le vrai, celui des manuels, si différent du nounours

Ovolvique : massif montagneux d'où l'on tire de l'eau pure, comme l'Odévian et l'Odvittel

P'tit beursdai : anniversaire chanté (« *Un p'tit beursdai touillou…* »)

P'tit jama : se met la nuit quand on est petit (les grands, eux, dorment en grand jama ou en fesses)

P'tit rateur : plus efficace que le balai

P'tit short : curieusement, s'enfile par le haut ; à ne pas confondre avec le short tout court, qui est un pantalon à manches courtes

Pampouffes : chaussons de princesse de mauvais goût

Pantalon à manches courtes : short (à ne pas confondre avec p'tit short)

Papa Rôti : gros monsieur qui chante fort, peut-être parce qu'il s'est brûlé

Papa-est-là : plat espagnol à base de riz qu'on fait à Papa quand il rentre le week-end

Patate modelée : boule de pâte de forme patatoïdale qui sert par exemple à faire la cuisine en semblant

Pâtes-fesses : petit nom des gnocchis

Pauvre Charles : SDF, depuis le célèbre conte « *La belle et le pauvre Charles* »

Perce-matozoïde : petite graine du papa qui vient percer la grosse graine de la maman pour fabriquer un bébé

Persil : ce que les grandes cousines se font faire au nombril et qui décore comme un petit bouquet sur du jambon (« *Moi aussi je veux un persil dans le nombril !* »)

Petit rond : sorte de courge que l'on cuisine pour Halloween *(ex. : la soupe de petit rond)*

Petite Eranée : petite mer située au sud de la France, à distinguer du grand océan à tante Hic

Petite graine : bébé fille en devenir, les bébés garçons venant, eux, des petits grains

Petits pains sous les doigts : biscottes oblongues d'origine suédoise

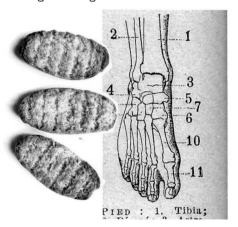

PIED : 1. Tibia;

Picasso : Pikachu, pour les adultes qui prononcent mal *(« Mais non, papa ! Pas Picasso, PikaCHU ! »)*

Pires Aînées : grandes montagnes, encore pires que les Zalpes

Points de futur : coutures de peau qui, à l'avenir, ne seront plus visibles

Poisson dépanné : le vrai, sans la croûte. Antonyme : poisson carré

Pollution magique : philtre des contes de fée revu par les enfants du XXIe siècle

Polycopieds : leçons à savoir sur le bout des doigts

Popotamnosaure : rhinocéros, la silhouette de l'hippopotame avec une tête de dinosaure

Porcelaine : chérie du porc

Poubellistes : éboueurs, parce qu'ils ne ramassent pas du tout la boue

Pourrimé : limite pourri parce que la date de péremption est passée

Prise spirituelle : celle qui relie la télé au Ciel *(« L'écran est tout bleu ; tu peux rebrancher la prise spirituelle ? »)*

Propre de bains : nom que l'on devrait donner aux sales de bains si on était logique

Pull-hiver : vêtement de saison. Variantes selon les coloris : pull-au-bleu, pull-au-rouge, pull-au-noir...

Rapages : choses impressionnantes que l'on peut faire avec son vélo, toujours au pluriel *(« Regarde, je fais des rapages ! »)*

Râteau : ce qu'on se casse quand on s'en prend un. Syn : binette *(« À la récré, je me suis cassé le rateau. »)*

Resseux : contraire de paresseux *(« Antoine, tu es paresseux. » « Si, je suis resseux ! »)*

Rez-de-chaussette : le pied de la maison

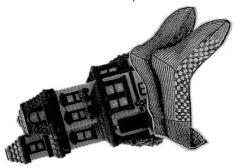

Ricovers : nom générique des légumes, et pas seulement des abricots verts

Riz qu'on connaît : riz chinois très connu, avec petits pois et fragments d'omelette

Sac-à-cado : hotte souple et très pratique en randonnée

Sacs-à-rien : mystérieuses petites bêtes invisibles (« *Le docteur a dit que j'étais allergique aux sacs-à-rien* ».)

Saint-Dimé : dessin animé préféré, intouchable et venu d'En Haut. Syn : DESSIN ALLUMÉ

Salade de cristal : rose des sables

Salades en cabout'chou : se met aux pieds quand on va à la mer

Saladier : arbre où poussent les salades

Sales thés : traces noirâtres que laissent parfois les chaussures sur le carrelage de la cuisine

Sandales-matiens : nu-pieds tachetés

Sang d'ouiche : casse-croûte, et on se demande ce qu'il y a dedans

Saucirond : charcuterie qu'on aime pour ses rondelles

Se maguiser : se déguiser ET se maquiller

Se sentir mauvais : indisposition due à une odeur nauséabonde « *J'ai mal au cœur dans ce métro, je me sens mauvais.* »

Serviette à manches : peignoir, qui est d'ailleurs le masculin de baignoire

Sexe de citron : ce qu'on coupe à l'agrume avant de lui faire faire pipi

Si-clown : géante farce météorologique qui fait voler les maisons

Sifi : légume que les grands mangent toujours sales et que du coup les enfants apprécient rarement (« *Moi, j'aime pas les sales sifis !* »)

Signe extralogique : petit nom donné par la position des étoiles et qui dépasse l'entendement

Spatéki : pâtes italiennes longilignes

Sraises : fruits rouges qui se dégustent avec du sucre et de la gentille Yi

Steak caché : habile façon de dissimuler de la viande sous un amas friable

Sucre neige : sucre glace, en plus juste

Supers lits posés : lits superposés comme il y a chez les copains, et qui font drôlement envie

Supertozoïdes : petites graines de super-papa capables de faire pousser des bébés

Système de larmes : équipement dont bénéficient certaines maisons pour pleurer fort quand elles sont dévalisées par des voleurs

Tabac : plante carnivore qui mange les poumons

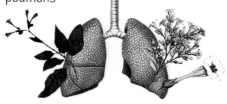

Tam-tam : départements et territoires français d'Outre-mer

Tartines blocs : là où l'on est après un solide petit dej', prêt à courir un 100 mètres (*« Je suis dans les tartines blocs ! »*)

Télécomôme : petit instrument favori des mômes, servant accessoirement à allumer un téléviseur

Thierry l'hermite : petit animal solitaire que l'on trouve dans les coquillages, sur la plage, le lendemain des Bronzés

Tounite : état de la tête quand on a beaucoup joué à tourner (*« J'ai la tounite ! »*)

Tounuïstes : nudistes

Truc : inconnu très musclé (*« Mon papa, il est fort comme un truc ! »*)

Unzième : juste avant deuxième

Vacances colères : celles qui sont trop courtes, ce qui rend furieux

Vessie : féminin de WC

Vétérinaigre : ingrédient indispensable pour faire une bonne vétérinaigrette

Vodka : grand fleuve russe

Vol planète : encore plus grand qu'un vol plané, puisque intersidéral

WC médical : cabinet

Xagère : qualité de celui qui pousse un peu (*« Vraiment, t'es xagère ! »*)

Zadule : grand nenfant

Zongle à doigt : vernis à ongle (*« Maman, moi aussi, je veux du zongle à doigt. »*)

Zut : remplace m… dans la plupart des expressions (*« Non papa, pas de gros mots ! Dis plutôt que tu as passé une journée de zut. »*)

Bon pour
1 bisou

Bon pour
1 dîner
à la maison

Bon pour
1 oreille attentive,
et même 2

Bon pour
1 virée champêtre
improvisée au
printemps

Bon pour
1 confidence
délivrée rien qu'à toi

Bon pour
1 massage
si tu es sage

Bon pour
1 initiation à ma
passion secrète

Bon pour
1 autre livre
de la collection